CADENAS ROTAS

UNA FUENTE DE PAZ PARA EL ALMA ATORMENTADA

DOUG BATCHELOR

A menos que se indique de otro modo, todos
los textos bíblicos han sido tomados
de la Versión Reina-Valera Revisada 1960.

Pueden obtenerse copias adicionales de este libro
llamando al número gratuito de 1-800-538-7275
o visitando la página electrónica
http://www.amazingfacts.org

Título en inglés: *Broken Chains*
Traducción: Tulio N. Peverini
Diseño de la portada: Haley Trimmer
Diseño del interior: Greg Solie • Altamont Graphics

ISBN: 978-0-9668105-0-9

Otros libros de Doug Batchelor

El Evangelio según María Magdalena

De Cavernicola a Cristiano

CONTENIDO

PREFACIO

Se consideraba que eran las personas que *menos posibilidad* tenían de triunfar en la vida.

"No inviten a David a la fiesta; es apenas un joven cantor, un pastor de ovejas". Sin embargo, fue escogido como el rey de Israel. "José es un molesto soñador; matémoslo o vendámoslo como esclavo". Sin embargo, llegó a ser el primer ministro de Egipto. Pedro exclamó: "Apártate de mí, Señor. Soy un hombre pecador". Tenía razón, sin embargo Jesús dijo: "No temas. Desde ahora pescarás hombres". "No te asocies con María; tiene una mala reputación". Sin embargo, fue elegida para ser la primera persona en tocar y proclamar al Señor resucitado.

¿Alguna vez ha sentido que su condición espiritual se ha estancado o que su esperanza para un futuro crecimiento ha sido sombría? ¿Ha llegado alguna vez al borde de la desesperación, sintiendo que sus defectos de personalidad, sus malos hábitos y su egoísmo lo han colocado fuera del alcance de la redención?

Entonces este libro es para usted… y es para mí.

Este libro se basa en el relato del evangelio de cómo Jesús liberó y transformó totalmente a un hombre que estaba poseído por una miríada de demonios. Es la historia de un hombre que estaba tan lejos de Dios como uno podría imaginarse. Su casa era una tumba. Sus únicos compañeros eran los cerdos. Su única comida eran las sobras que éstos dejaban. Sus únicas ropas, los restos de las cadenas. Y sus pensamientos trastornados estaban bajo el dominio de los demonios. Ni siquiera Hollywood podría idear un cuadro más completo de un hombre sumido en la más extrema desesperanza. Ciertamente habría ganado el voto de todos como la persona con la menor posibilidad de triunfar.

Pero entonces encontró a Jesús, quien lo limpió, lo vistió y lo comisionó. En Jesús, su corazón atormentado encontró descanso.

Debo admitir que escribí este libro, en parte, porque me he visto acudir repetidamente a esta historia fascinante de extrema liberación para mi propio aliento e inspiración. ¡Porque en un sentido yo fui ese hombre!

En 1973, yo estaba viviendo en una caverna en las altas elevaciones de las remotas montañas desiertas del sur de California. También estaba dando vueltas desnudo, escarbando en busca de comida en los depósitos de basura de un supermercado, y completamente esclavizado por una vida de drogas, engaños, inmoralidad y confusión espiritual esencial.[1] Mi vida era un enorme "cero". Como el endemoniado de Decápolis, fácilmente yo podría haber sido escogido como la persona con menos posibilidad de triunfar.

Pero encontré una Biblia que alguien dejó en mi caverna, y en esa Biblia encontré a Jesús.

"No muchos de ustedes son sabios, según criterios meramente humanos; ni son muchos los poderosos ni muchos los de noble cuna. Pero Dios escogió lo insensato del mundo para avergonzar a los sabios, y escogió lo débil del mundo para avergonzar a los poderosos. También escogió Dios lo más bajo y despreciado, y lo que no es nada, para anular lo que es, a fin de que en su presencia nadie pueda jactarse"
—*1 Corintios 1:26-29, NVI.*

Dios lo bendiga,

Doug Batchelor

---

1   El testimonio personal de Doug Batchelor, *De cavernícola a predicador*, puede comprarse mediante Mountain Ministry, 5431 Auburn Blvd., Suite A-1, Sacramento, CA 95841. Teléfono: (916) 332-5800.

LA HISTORIA DEL ENDEMONIADO

(Basada en S. Marcos 5:1-20 y S. Lucas 8:26-40)

Jesús cruzó las olas airadas para sanar a un loco.
El que acalló un mar tempestuoso puede
calmar a un alma atormentada.

A través de la tormenta

Estaba tan tranquilo el mar que se podía oír cada pequeña ola que golpeaba contra el bote y cada crujido de los remos, mientras los discípulos se turnaban para remar rítmicamente a través de las aguas plácidas del Mar de Galilea. Cuán diferente de las condiciones extremas que habían soportado sólo una hora antes.

Cuando se embarcaron para su viaje al otro lado del lago, la puesta de sol perfectamente serena les prometió un viaje amable. La suave brisa del sur significaba que podían izar la vela, ahorrándoles la ardua tarea de remar. Pero tras unos cinco kilómetros de viaje, en el mismo punto céntrico de su travesía, las cosas cambiaron rápidamente.

El viento suave cambió de dirección, soplando ahora impetuosamente desde las montañas del Líbano, en el noroeste. El cielo también se oscureció con espesas nubes encrespadas que descargaban su furia en forma estruendosa. Repentinamente el viento se convirtió en un vendaval rugiente, con tal velocidad que los hombres arriaron rápidamente la vela por temor a que se pudiera romper o, peor aún, ¡que pudieran zozobrar!

En la tempestad pavorosa, las olas se agrandaban más y más, como si un poder diabólico las elevara desde las profundidades ante los ojos mismos de los discípulos. Pronto las masas de agua comenzaron a romperse por encima de los costados de su modesta embarcación, extinguiendo su lámpara vacilante y amenazando con inundar y hundir la barca que andaba con dificultad. Los discípulos buscaban frenéticamente sus pequeños baldes de cuero para comenzar a achicar el agua, pero las aguas subían demasiado rápido.

Pronto estos experimentados marinos comprendieron que sus esfuerzos serían fútiles. Reconocieron que sin la intervención divina, su situación no tenía esperanza.

Absorbidos en su lucha por salvarse, casi se habían olvidado de Jesús, quien estaba a bordo con ellos. Finalmente recordando a su Señor en su impotencia y desesperación, exclamaron: "¡Maestro!, ¡Maestro!" Pero la densa oscuridad lo ocultó de su vista, y la tempestad rugiente ahogó sus voces. ¿Había sido arrastrado por la borda? ¿Estaban ahora enteramente solos?

Nuevamente llamaron, pero su única respuesta fue el chillido de una ráfaga airada. Su bote se estaba hundiendo. En cualquier momento, las aguas hambrientas e inmisericordes los tragarían.

Entonces vino el resplandor intenso de un relámpago, y vieron al Maestro, acurrucado sobre un almohadón cerca de la popa. Aun cuando el agua frígida se remolineaba en torno a él, Jesús dormía profundamente en medio de la tormenta rugiente.

¿Por qué estaba durmiendo? Quizás estaba tan exhausto a causa del ministerio incesante del día, que aun el caos horroroso que azotaba al bote no lo despertó. Sea lo que fuere, los discípulos despertaron a Jesús con un sacudón, exclamando con asombro y desesperación: "Maestro, ¿no tienes cuidado de que perezcamos?"

Jesús se enderezó con toda calma. Sólo necesitó un momento para evaluar la situación. Luego, mientras la tempestad todavía rugía a su alrededor y las olas se precipitaban dentro del bote, Jesús se puso de pie para enfrentar la tormenta. Colocando una mano sobre el mástil para mantener el equilibrio, levantó su otra mano a los cielos como lo había hecho tan a menudo al realizar sus actos de misericordia. Mientras un relámpago fulguraba por en medio del cielo e iluminaba su rostro sereno, le habló valientemente al mar airado: "Calla, enmudece".

Cuando la última sílaba salió de sus labios, la tormenta cesó. Las olas airadas se aquietaron. Las nubes oscuras se replegaron, revelando un cielo tachonado de diamantes. Y el bote descansó sobre un mar sereno y cristalino.

Volviéndose a sus discípulos, Jesús los reprendió tristemente. "¿Por qué estáis así atemorizados? ¿Cómo aún no tenéis fe?" (S. Marcos 4:40, NRV 2000).

En la oscuridad, Santiago achicaba metódicamente el agua que estaba en el punto más bajo de la embarcación. Otros remaban en forma rítmica nuevamente, ahora que la tormenta había pasado. Todos trabajaban en un silencio aturdido causado por una combinación de fatiga, confusión y asombro, pero mayormente temor. Cada uno de ellos se preguntaba: ¿Qué clase de hombre es éste, tan sin pretensiones, y sin embargo que puede hablar e instantáneamente transformar un mar enloquecido en un mar tranquilo? No sólo había estado perfectamente en calma en lo que podría haber sido una tormenta letal, ¡sino que había calmado la tormenta misma! Durante el resto de la noche, nadie durmió.

Eventualmente, el cielo oriental comenzó a resplandecer con la promesa del día que se acercaba.

Sin decir una palabra, Jesús miró a Andrés, quien estaba en el timón. Jesús señaló a una área en la orilla oriental del lago. Andrés comenzó a mover el bote como le había indicado el Hombre que calmó la tormenta.

Muchos de los discípulos habían pasado gran parte de sus vidas en el lago y conocían cada playa en los cincuenta kilómetros de costa circundante. Pero la tormenta los había arrastrado tan lejos hacia el sur, que se habían desorientado. Por unos momentos no pudieron determinar exactamente a qué costa se aproximaban, pero a través de la luz tenue del amanecer pudieron percibir unos pocos rasgos.

Flanqueada por riscos empinados y rocosos, una colina suavemente inclinada les ofrecía un buen lugar para desembarcar. Los discípulos estaban esperando la oportunidad de encender un fuego para secar sus aparejos empapados y sus cuerpos temblorosos. Al acercarse a la orilla, pudieron ver que más atrás se elevaba una ladera salpicada de cavernas. Y luego desde la neblina emergieron las formas imprecisas de lápidas sepulcrales. Se estaban dirigiendo hacia un cementerio. Felipe expresó su temor con una palabra que les hizo sentir escalofríos: "¡Gadara!"

Encuentro con un loco

La región de Gadara, también conocida como Decápolis, fue establecida después que Alejandro Magno conquistó a los judíos. Templos a los dioses grecorromanos llenaban las ciudades circunvecinas, y griegos y otros gentiles, algunos de ellos hacendados que criaban cerdos, constituían la mayor parte de la población. Asqueados por la idolatría y las bestias inmundas, los judíos evitaban este distrito pagano del lago toda vez que les era posible.

Sin embargo, otra razón para sentir aprehensión mantenía a los judíos a la distancia: historias escalofriantes de hombres salvajes, mitad bestias y mitad demonios, que andaban errantes por la costa. De modo que al acercarse a la escena lúgubre de tumbas antiguas y de paganismo, los discípulos se preguntaban por qué Jesús los estaba dirigiendo allí. Sin embargo, no se atrevieron a hacerle preguntas al Hombre que podía calmar una tormenta.

Como una bendición de paz, la luz del sol naciente comenzó a iluminar la costa, y el Salvador y sus compañeros desembarcaron. Mientras Andrés aseguraba el bote, los otros discípulos siguieron a Jesús por la playa recogiendo los pedazos de madera flotante que las olas habían arrastrado a la costa, a fin de hacer un fuego.

Instantes después, Natanael, haciendo una pausa en su tarea, miró a su alrededor con su nariz apuntada al viento. Haciendo una mueca, preguntó:

—¿Qué es ese olor?

—¿No te parece que viene de esa piara de cerdos que está en las colinas? —Tomás repuso bromeando.

Pero Natanael sabía bien de qué se trataba.

—No. Yo he olido cerdos antes. Esto es diferente.

Precisamente en ese momento, un alarido aterrorizador retumbó en los oídos de los discípulos. Al darse vuelta hacia el ruido horripilante que provenía del cementerio, apareció ante sus ojos un espectáculo que los asustó más que la furia de la tempestad. De algún escondite oscuro entre las tumbas, un loco desnudo —quizá más bestia salvaje que humano— se abalanzó hacia ellos como si intentara despedazarlos.

Los discípulos petrificados, con los nervios ya gastados por la terrible experiencia de la tormenta, instintivamente dejaron caer las maderas que habían juntado y huyeron hacia su bote. Empujándolo de vuelta al mar, se zambulleron en él y comenzaron a remar furiosamente, arrojando agua en todas direcciones. Cuando estaban a cierta distancia entre ellos y la costa, Andrés tomó conciencia de la situación y notó que Jesús no estaba con ellos. Había quedado en la playa.

En su apresuramiento, los discípulos habían abandonado a su Maestro. Pero aquel que había aquietado la tempestad, que había enfrentado y conquistado a Satanás en el desierto, no había huido ante el loco furioso.

Los discípulos sabían que nunca habían visto a una criatura más espantosa. Restos de cadenas destrozadas y esposadas a sus muñecas y tobillos se sacudían violentamente. Su carne magullada y ensangrentada tenía desgarramientos, lacerada por cortes que él se había hecho deliberadamente con piedras filosas como navajas. Sus ojos fulguraban a través de tiras de cabello largo y grasoso lleno de ramitas y tierra, y su boca echaba espuma en medio de gruñidos.

¿Queda en este hombre algo de humanidad?, se preguntaban los discípulos desde una distancia segura. ¿O las hordas de demonios que ahora lo poseen la han borrado completamente?

Cuando esta alma trastornada, rechinando sus dientes, embistió al Señor, éste levantó su mano hacia el hombre salvaje de la misma manera como le había hecho un gesto de contención al mar. Y como si una pared invisible se levantara entre ellos, el endemoniado no pudo acercarse más. Aunque dominado por una furia feroz, quedó impotente ante el Maestro.

Por contorsionado que estuviera el rostro de este loco, aparentemente sin esperanza, Jesús pudo ver aún un rastro de súplica en sus ojos.

Antes de que Jesús siquiera hubiera pisado la playa arenosa, los demonios aterrorizados sabían que se aproximaba. Temían la posibilidad de que pronto serían expulsados del huésped que habían capturado. Y a pesar de todo el odio y temor que tenían estas personalidades demoníacas, en algún lugar muy profundo de su víctima ardía todavía levemente la chispa de un alma.

Con los fragmentos que pudieran quedarle de sus facultades de razonamiento, este hombre había alcanzado a oír la conversación desesperada que los crueles demonios sostuvieron en su cabeza. Por ellos se enteró quién era Jesús, y comprendió que seguramente Jesús era su última y única esperanza de liberación. Cuando los demonios rugieron, él se arrojó a los pies del Salvador.

La postura de adoración de esta alma desdichada que clamaba por liberación, humilló a los demonios que estaban en su interior. Aun así, lo interrumpieron con un fuerte alarido: "¿Qué tienes conmigo, Jesús, Hijo del Dios Altísimo? ¿Te conjuro por Dios que no me atormentes?" (S. Marcos 5:7).

Jesús, siempre ansioso de salvar al miserable, vio más allá del intento de los demonios de acallar a su víctima que los hospedaba. Vislumbró a un alma anhelante que rogaba por su liberación. Y con una voz majestuosa cuyos tonos de autoridad divina pudieron oírse a través del agua, Jesús ordenó: "¡Sal de este hombre, espíritu inmundo!"

Así como la tormenta le había respondido inmediatamente a Jesús, de la misma manera el cuerpo del pobre hombre comenzó a retorcerse y contorsionarse violentamente, como si una docena de gatos callejeros estuvieran peleando en una bolsa de arpillera. La larga serie de espasmos y convulsiones mostraban que los furiosos demonios no iban a soltar a su víctima sin una lucha.

Jesús entonces hizo algo que nunca había hecho antes ni jamás volvería a hacer. Sospechando que el mismo Lucifer estaba orquestando esta batalla, Jesús les hizo una pregunta a los demonios: "¿Cómo te llamas?" Por supuesto, el que cuenta los cabellos de nuestras cabezas y llama a todas las incontables estrellas por sus nombres individuales, conoce aun el nombre de cada ángel caído.

Un lamento que jamás podrían producir las cuerdas vocales humanas, se escapó de la garganta del hombre. Amplificado cuando un millar de espíritus gritaron al unísono, resonando como si emanase de lo profundo de algún gran abismo cavernoso, heló la sangre de los discípulos, todavía agazapados de miedo en el bote. ¿El grito del endemoniado? "Legión me llamo; porque somos muchos".

Cerdos poseídos

Los demonios, ahora resignados a su suerte, sabían que Jesús estaba por echarlos del cuerpo y la mente de su víctima. Sabían que la autoridad de la palabra de Jesús es suprema. Pero en un ansia patética de autopreservación, esperaban convencer a Jesús de que no los lanzara al abismo. Con un gemido fuerte y unificado, imploraron: "Por favor, no nos eches a lo profundo. Déjanos entrar en los cerdos".

Subiendo por la playa desde el cementerio, una gran piara de dos mil cerdos estaba merodeando en la colina, gruñendo y revolcándose en el barro de la pradera. Sus cuidadores, dolorosamente conscientes de los hábitos amenazantes del loco, siempre trataban de estar al tanto de su ubicación y de mantenerse a una distancia segura. En ese día estaban apiñados juntos, esforzándose por ver qué estaba ocurriendo con su depredador allá abajo junto al lago.

Observando primero a los cerdos y luego otra vez al hombre que estaba ante él, Jesús pronunció a los que lo poseían una sola palabra vigorosa: "¡Id!" Con eso, el miserable dio una convulsión final y poderosa —como si vomitara un ciclón desde su vientre—, y luego cayó a los pies de su Rescatador.

Entonces la horda de demonios que habían asolado al hombre cayó como granizo sobre la masa de cerdos. Instantáneamente, toda la piara se vio inundada de pánico y dolor. Chillando y dando alaridos con un bramido ensordecedor, comenzaron a huir precipitadamente hacia los riscos empinados que se elevaban sobre el lago. Los horrorizados cuidadores, acurrucados detrás de un árbol en busca de protección, no pudieron hacer nada sino observar cómo la avalancha suicida de cerdos se lanzaba desde los riscos, desplomándose contra las rocas agudas, y cayendo en el agua.

Luego todo quedó tranquilo y en calma, excepto para los pasmados cuidadores. Avanzaron cautelosamente hasta el borde del barranco para observar incrédulos el agua agitada y enrojecida allá abajo. Miraron cómo los últimos cerdos se contorneaban y luego desaparecían debajo de la superficie. Ni siquiera uno sobrevivió.

Los cuidadores dirigieron su mirada al hombre que habían temido y a Aquel que había permanecido firmemente ante él. Observaron cómo Jesús condujo al hombre ahora en calma hasta el borde del agua y lo limpió. Vieron que los grillos y las cadenas que una vez habían trabado sus movimientos, estaban ahora, misteriosamente, rotos y abiertos y esparcidos en la playa.

Sólo cuando vieron que Jesús se quitó su manto exterior y lo colocó sobre los hombros del hombre desnudo, comprendieron finalmente que los demonios habían salido de él… para ser destruidos en sus animales. Aterrorizados y asombrados, huyeron a las aldeas y ciudades vecinas para contar el hecho sobrenatural que habían presenciado.

Antes de que transcurriera la mañana, casi cada persona de la región se reunió en la pequeña playa para ver directamente al hombre transformado y a su benefactor. Todavía un temor inexplicable les impedía aventurarse a acercarse demasiado, de modo que desde lejos contemplaban con asombro a sus visitantes.

Los discípulos, habiendo ahora traído el bote de regreso a la playa, se sentaron con Jesús y hablaron fervientemente al ex endemoniado, todavía vestido con el manto de Jesús. El hombre, sentado cerca de los pies de su Salvador, tenía un nuevo brillo de inteligencia en sus ojos, de los cuales brotaban lágrimas de gratitud, dejando huellas gozosas en sus mejillas.

Durante más de una hora, los miles de espectadores boquiabiertos miraban atónitos al reducido contingente reunido alrededor del pequeño bote pesquero. Los discípulos, siempre precavidos, se sentían perturbados por las miradas amenazadoras de algunas personas en la multitud. Observaron cómo una discusión entre los que aparentemente eran varios líderes prominentes de las comunidades vecinas, se volvió más y más animada. Aunque sólo pudieron captar unas pocas palabras que se estaban intercambiando, porque esta gente hablaba el griego, pronto percibieron que los políticos estaban más enfadados que agradecidos. Para ellos, la catástrofe económica causada por la muerte de los dos mil cerdos importaba más que la redención del hombre que los había aterrorizado por tanto tiempo.

Con incredulidad observaron cómo el pequeño contingente de dirigentes se aproximó torpemente a Jesús y, en un arameo defectuoso, presentaron su simple pedido: "Por favor, deja nuestro territorio". Los ojos de los discípulos ardieron de indignación: ¡tanta rudeza en este pedido lleno de ingratitud! Durante años este loco había saqueado y rondado por toda la región. Ahora estaban indemnes sólo porque Jesús había actuado. Pero en vez de agradecer a Jesús o de invitarlo a un banquete para honrarlo por su acto maravilloso, ¡estos gentiles lo insultaron!

El dolor en el rostro de Jesús fue la única expresión de su chasco: no argumentó para nada ni les lanzó ninguna represión. Jesús, conociendo el corazón humano, simplemente se puso de pie, sacudió el polvo de sus sandalias, y con un gesto les indicó a los discípulos que deberían prepararse para echar el bote al mar.

Entonces el hombre a quien Jesús había rescatado, el hombre que él había liberado de la horda diabólica, se arrojó a los pies del Salvador y se aferró a sus tobillos, implorando: "¡Señor, déjame ir contigo!"

Con un amor comprensivo y tierno, Jesús le respondió cálidamente: "Vuélvete a tu casa, y cuenta cuán grandes cosas ha hecho Dios contigo".

Mientras los discípulos remaban hacia aguas abiertas, este hombre —el hombre libre de Decápolis— permaneció en la playa, contemplando a su Redentor hasta que la embarcación hubo desaparecido en el horizonte distante.

Panorama de salvación

Amigo lector, la historia increíble que usted ha estado leyendo es mi versión del que podría ser considerado el ejemplo más dramático y profundo de una liberación total registrado en las Escrituras. Esta historia es el catalizador para todo lo demás que usted explorará en este libro.

En varias formas, la historia del encuentro de Jesús con el endemoniado ocupa un lugar aparte respecto a cualquier otra historia en el Nuevo Testamento. Esencialmente es un microcosmos de todo el plan de redención, que ilustra los designios últimos y crueles del diablo para la humanidad en contraste con el plan amante de Dios para nuestro futuro.

Demuestra en una manera inquietante la realidad de las fuerzas malignas trabajando para destruir nuestras vidas. Pero también muestra cómo el Señor puede librarnos, no importa cuán desesperada pueda parecer nuestra situación. Ciertamente, es una demostración maravillosa del poder de Dios para limpiar y perdonar a cualquier hombre o mujer que se ha hundido en las profundidades más lóbregas del pecado. Y por último, representa cómo el Señor puede salvar al mundo entero.

En las páginas que siguen, extraeremos juntos las lecciones más profundas que se encuentran en esta historia fantástica, y recogeremos unas pocas joyas, algunas tal vez obvias, otras debajo de la superficie.

He dividido este libro en tres secciones: "Perfectamente perdido", "El diablo engañoso" y "La liberación divina". Estas secciones presentan el problema, la causa y la respuesta. Consideraremos cada una plenamente antes de pasar a la siguiente.

Como la historia del endemoniado, el mensaje central de la Biblia gira en torno a la salvación del pecado. Emplea tres personajes primarios para contar su historia: el Salvador, Satanás y las almas perdidas; o Jesús, el diablo y nosotros los seres humanos. Si usted tiene una Biblia a su disposición, pienso que será útil tenerla a su alcance mientras lee este libro.

He combinado los relatos de la historia del endemoniado que aparece en los Evangelios de San Mateo, San Marcos y San Lucas. Al superponer las diversas versiones en forma complementaria, podemos ver el cuadro completo de una sola vez. Este cuadro completo de la historia será el punto de partida para el resto de nuestra exploración de la ciencia de la salvación. Lo animo a que lo lea muy cuidadosamente, porque, como usted verá, cada detalle añade una nueva dimensión para comprender a Dios y su maravilloso plan de salvación.

Vinieron al otro lado del mar, a la región de los gadarenos. Y cuando salió él de la barca, en seguida vino a su encuentro, de los sepulcros, un hombre con un espíritu inmundo, endemoniado desde hacía mucho tiempo... feroz en gran manera, tanto que nadie podía pasar por aquel camino. Y no vestía ropa, ni moraba en casa, sino en los sepulcros.

Y nadie podía atarle, ni aun con cadenas. Porque muchas veces había sido atado con grillos y cadenas, mas las cadenas habían sido hechas pedazos por él, y desmenuzados los grillos; y nadie le podía dominar. Y era impelido por el demonio a los desiertos. Y siempre de día y de noche, andaba dando voces en los montes y en los sepulcros, e hiriéndose con piedras.

Cuando vio, pues, a Jesús de lejos, corrió, y se arrodilló ante él. Y clamando a gran voz, dijo: "¿Qué tienes conmigo, Jesús, Hijo del Dios Altísimo? Te conjuro por Dios que no me atormentes". Porque le decía: "Sal de este hombre, espíritu inmundo".

Y le preguntó Jesús, diciendo: "¿Cómo te llamas?"

Y respondió diciendo: "Legión me llamo; porque somos muchos". Y le rogaban que no los mandase ir al abismo.

Estaba allí cerca del monte un gran hato de cerdos paciendo. Y le rogaron todos los demonios, diciendo: "Envíanos a los cerdos para que entremos en ellos". Y luego Jesús les dio permiso; y les dijo: "Id".

Y saliendo aquellos espíritus inmundos, entraron en los cerdos, los cuales eran como dos mil; y el hato se precipitó en el mar por un despeñadero, y en el mar se ahogaron. Y los que apacentaban los cerdos huyeron, y dieron aviso en la ciudad y en los campos; y contaron todas las cosas, y lo que había pasado con los endemoniados. Y salieron a ver qué era aquello que había sucedido.

Vienen a Jesús, y ven al que había sido atormentado del demonio, y que había tenido la legión, sentado, vestido y en su juicio cabal; y tuvieron miedo. Y les contaron los que lo habían visto, cómo le había acontecido al que había tenido el demonio, y lo de los cerdos. Y comenzaron a rogarle que se fuera de sus contornos.

Al entrar él en la barca, el que había estado endemoniado le rogaba que le dejase estar con él. Mas Jesús no se lo permitió, sino que le dijo: "Vete a tu casa, a los tuyos, y cuéntales cuán grandes cosas el Señor ha hecho contigo, y cómo ha tenido misericordia de ti". Y se fue, y comenzó a publicar en Decápolis cuán grandes cosas había hecho Jesús con él; y todos se maravillaban. Cuando volvió Jesús, le recibió la multitud con gozo; porque todos le esperaban.[1]

---

1   Tomado de San Marcos 5:1-20; San Lucas 8:26-40, y San Mateo 8:28-34. Por favor, note que los evangelios de San Lucas y San Marcos hablan de un endemoniado, mientras que San Mateo se refiere a dos hombres poseídos por el demonio. Esta aparente discrepancia probablemente se debe al hecho de que San Marcos y San Lucas vieron al segundo endemoniado como un personaje pasivo y por lo tanto irrelevante para la historia. Por razones de simplicidad y para evitar confusión, este libro se basará en los relatos de San Marcos y de San Lucas.

PERFECTAMENTE PERFIDO
SECCIÓN I

"Porque sabemos que toda la creación gime a una, y a una está con dolores de parto hasta ahora"—Romanos 8:22.

Un planeta poseído por el diablo

Respire profundamente. Vamos a darle otra mirada penetrante y perturbadora a la situación deplorable del endemoniado antes de que Jesús lo liberara, porque es el cuadro perfecto de una bancarrota espiritual total:

El hombre poseído por los demonios se mueve entre cadáveres en descomposición bajo la sombra de los cerros circunvecinos, bufando como los cerdos pestilentes. Su carne desgarrada y despellejada arrastra restos de cadenas y grillos despedazados. Gritando y gimiendo, con su boca gruñente y espumajeando saliva, vaga sin rumbo entre las siluetas de las cavernas y las tumbas, mientras que su cuerpo hediondo y desnudo es seguido por una nube de moscas. Continuamente les da golpes penetrantes a sus miembros cubiertos de cicatrices con rocas duras como pedernal, y sus ojos salvajes fulguran amenazadoramente por debajo de su cabello sucio y enmarañado.

Probablemente usted esté pensando: "¡Está bien, Doug! ¡Basta!"

Comprendo que éste es un cuadro repulsivo, pero cada componente de la historia, no importa cuán repugnante, es muy importante. Cada uno nos dice muchas cosas cruciales sobre cuán horrible puede ser la condición del pecado, y por lo tanto cuán asombroso es realmente el maravilloso plan de salvación.

¿Se ha preguntado alguna vez en cuanto al contraste que deben ver los ángeles no caídos cuando dejan las glorias puras y sin pecado del cielo para venir a nuestro planeta oscuro y poseído por el diablo? Para ellos, este hombre anónimo y enloquecido debe representar la muestra más clara de lo que significa estar perdido.

Este hijo de Adán caído y poseído por los demonios, que vivía en un cementerio, rodeado por los cerdos, representa también nuestro mundo caído y sucio bajo la maldición de la muerte, y esclavizado por el diablo y sus legiones de secuaces. Nuestro planeta es ahora el escenario desde el cual Satanás continúa su campaña difamatoria contra el Creador y su gobierno; tanto es así que Jesús hasta llama a Satanás "el príncipe de este mundo" (S. Juan 14:30).

Cada aspecto de la condición desesperada de este hombre que presenta la Escritura puede ayudarle a usted y a mí a apreciar más plenamente cómo el cielo ve a los perdidos. Antes de que podamos comprender mejor esto y experimentar la sanidad que Dios nos ofrece, debemos reconocer y diagnosticar los síntomas.

"Que tenía su morada en los sepulcros…"—S. Marcos 5:3.

Morando con los muertos

Recuerdo bien la visita que hice al cementerio más extraño de la tierra mientras exploraba la parte norte de Cairo, Egipto. Este cementerio se llama "La ciudad de los muertos". El lugar difícilmente se parece a un cementerio porque rebosa de vida y actividad.

En el transcurso de los siglos, los grandes gobernantes egipcios de tiempos pasados construyeron hectáreas y hectáreas de enormes y complejos mausoleos y tumbas. Según lo dictaminado por la tradición, cada uno de estos lugares para sepultura tenía su propio "cuarto para recepciones". Alrededor del siglo XIV, miles de pobres en busca de amparo comenzaron a ocupar ilegalmente estas tumbas. Ahora, esta zona, clasificada como un suburbio de Cairo, tiene su propio código postal, oficina de correos, estación de policía, negocios, electricidad, agua corriente y sistema de cloacas.

Curioseando en las tumbas, pude ver cómo esta gente conduce su vida cotidiana, durmiendo, cocinando y comiendo. Me sentí impresionado al ver cómo han hecho usos de las tumbas más pequeñas, convirtiéndolas según se necesita en sitios para colgar la ropa y en mesas. Y a lo largo de toda esta área hay ataúdes de piedra llenos de restos humanos, en el centro mismo de las viviendas de los actuales habitantes.

Los arqueólogos dicen que algunas de las tumbas alrededor de Gadara, donde tiene lugar nuestra historia, fueron recortadas en la empinada ladera de la montaña, creando profundas cavernas. El endemoniado podría haber usado una de estas tumbas cavernosas para tener un lugar donde refugiarse después que había sido expulsado del pueblo por haberse quedado loco. Y así como los que no están salvos viven en constante temor de la muerte, este pobre hombre estaba rodeado diariamente de lo que le hacía recordar que tenía un futuro sombrío.

La Biblia enseña que hay sólo dos clases de personas en el mundo: los vivos y los muertos. Usted podría pensar que ésta es una declaración obvia, pero de acuerdo con la Palabra de Dios, no todos los vivientes están vivos y no todos los muertos están realmente muertos.

Permítame explicar. Las vidas que viven sin Cristo están espiritualmente muertas. Jesús dijo: "El que tiene al Hijo, tiene la vida; el que no tiene al Hijo de Dios no tiene la vida" (1 S. Juan 5:12). En otra ocasión, él dijo: "Deja que los muertos entierren a sus muertos; y tú ve, y anuncia el reino de Dios" (S. Lucas 9:60).

En términos prácticos, esto significa que todos aquellos cuyos pecados no han sido perdonados están viviendo bajo la pena de muerte. Sin embargo, cuando aceptan el perdón de Cristo, pasan de muerte a vida. "Y él os dio vida a vosotros, cuando estabais muertos en vuestros delitos y pecados" (Efesios 2:1).

Inversamente, cuando un cristiano muere, él o ella realmente no muere, al menos no muere la muerte eterna. Cuando Lázaro pereció, Jesús explicó: "Nuestro amigo Lázaro duerme; mas voy para despertarle" (S. Juan 11:11). Jesús también proclamó: "¿No habéis leído lo que os fue dicho por Dios, cuando dijo: Yo soy el Dios de Abraham, el Dios de Isaac y el Dios de Jacob? Dios no es Dios de muertos, sino de vivos" (S. Mateo 22:31, 32). Hechos 7:60 afirma esta verdad, diciendo que cuando Esteban fue asesinado por apedreamiento, "durmió". Aquellos que mueren en una condición salvada, en Cristo, no están eternamente muertos; están simplemente descansando hasta la resurrección.

Cómoda con un cadáver

Cierta vez leí sobre una dama que murió. Esto ocurre todos los días, por supuesto; pero en este caso pasaron dos meses antes de que alguien se enterase de lo ocurrido. Sus vecinos comenzaron a notar que su porche estaba lleno de correspondencia y diarios, y se dieron cuenta de que no la habían visto por un tiempo. Citaron a la policía, que violentó la puerta y la encontró muerta. Hallaron a su esposo en el dormitorio de ella. Estaba también muerto, ¡y el médico forense estimó que había estado muerto por lo menos durante cuatro años! Su cuerpo estaba virtualmente momificado, porque su esposa había mantenido la calefacción a una temperatura de unos 90° Fahrenheit (32° C). Ella nunca había informado a nadie acerca de su fallecimiento; evidentemente, ¡estaba dispuesta a vivir con el cadáver de modo que pudiera continuar cobrando los cheques del Seguro Social de su esposo!

La Biblia nos habla sobre la batalla que ruge entre el espíritu y la carne. Millones de personas quieren servir a Dios, pero su naturaleza carnal —la concupiscencia de la carne y la soberbia de la vida— parece encadenarlos a sus vidas tóxicas. Es como vivir con una persona muerta. De hecho, en Romanos 7:24, Pablo formula una pregunta penetrante que usa esta imagen, haciéndose eco de la súplica de nuestros corazones: "¡Miserable de mí! ¿Quién me librará de este cuerpo de muerte?"

Es muy probable que el apóstol se estuviera refiriendo a una antigua y espantosa práctica romana reservada para los más perversos criminales. El comentador Adam Clark escribe: "¡Después de ser flagelado, el prisionero herido era encadenado a un cuerpo muerto y obligado a llevarlo hasta que el contagio de la masa pútrida le quitaba la vida!" Un viejo poema inglés describe esto de la siguiente manera:

> ¿Qué lengua puede registrar tales barbaridades,
> O contar las matanzas de su espada cruel?
> No era suficiente desangrar al bueno, al inocente,
> Peor aún, ataba al que vivía al muerto:
> Los unía miembro a miembro, y rostro a rostro.
> ¡Oh crimen monstruoso, de un carácter sin igual!
> Hasta que sofocado con el hedor, yacía el desdichado
> persistentemente,
> ¡Y en el abrazo abominable, perecía!
>
> —Pitt

Con este cuadro perturbador en mente, ¿puede imaginarse el alivio y la liberación que podría experimentar el condenado si se cortaba la atadura que lo unía al cadáver que había estado arrastrando por días? Bien, esto es lo que hace el Señor por nosotros cuando acudimos a él con nuestra naturaleza carnal débil y opresiva.

"Porque la ley del Espíritu de vida en Cristo Jesús me ha librado de la ley del pecado y de la muerte… para que la justicia de la ley se cumpliese en nosotros, que no andamos conforme a la carne, sino conforme al Espíritu… Porque el ocuparse de la carne es muerte, pero el ocuparse del Espíritu es vida y paz" (Romanos 8:2, 4, 6).

Zambulléndose en la basura

Usted puede preguntarse cómo alguien puede acostumbrarse a vivir rodeado de cadáveres. ¿Cómo el endemoniado pudo vivir entre los muertos, a semejanza de la gente que habita "La ciudad de los muertos" y la dama que vivió durante cuatro años junto al cadáver de su esposo? Podría ser difícil imaginar esto, pero yo sé que es posible, porque yo he tenido la experiencia de llegar a sentirme a gusto en torno a cosas muy perturbadoras.

Por ejemplo, cuando tenía dieciséis años, viví en las calles del sur de California durante unos pocos meses. Durante ese tiempo, tuve algunos amigos que "salían de compras" en busca de comida en los basureros del supermercado, con la misma delicia que otras personas sienten al explorar un buffet. A esto lo llamábamos: "zambulléndonos en la basura".

Habiendo sido criado en un hogar de clase media, limpio, al principio sentía repugnancia ante el hábito desagradable que tenían mis amigos de buscar comida en los basureros nauseabundos de los supermercados. Pero cuanto más tiempo pasaba con ellos, menos ofensiva llegaba a ser la práctica de escarbar en la basura. Gradualmente me acerqué a los enormes recipientes de basura, por supuesto, ¡sólo en un papel de consejero! Apretándome la nariz, señalaba latas abolladas o un pan que tenía sólo un día de viejo y que todavía estaba en su envoltorio. Eventualmente, comencé a estirarme por encima del borde para inspeccionar unas bananas maduras. Y luego —¡usted ya lo adivinó!— estaba gateando dentro del basurero y hurgando en busca de un "tesoro". Había llegado a sentirme íntimamente a gusto con la basura.

Esta misma dinámica degradante también corroe la salud espiritual de muchas almas. El diablo sabe que a través de una constante exposición al pecado —mediante cosas como películas, revistas y música moralmente cuestionables— puede debilitar nuestras convicciones respecto a la perversidad mortal del pecado. Puede haberle llevado meses a la dama mencionada el sentirse cómoda junto a su esposo muerto, pero los cheques que seguían llegando hicieron aceptable esa situación. Si toleramos el pecado a pesar de encontrarlo ofensivo, eventualmente lo soportaremos hasta abrazarlo plenamente.

A fin de que nos arrepintamos genuinamente, debemos reconocer y apreciar la perversidad del pecado. "El pecado, para demostrar que verdaderamente es pecado, me causó la muerte valiéndose de lo bueno. Y así, por medio del mandamiento, quedó demostrado lo terriblemente malo que es el pecado" (Romanos 7:13, *versión popular*).

"Y no vestía ropa"—S. Lucas 8:27.

La verdad desnuda

La mayoría de nosotros nunca siente mucha gratitud por nuestra ropa, ¡pero algunas personas realmente le deben la vida a lo que usan! Por ejemplo, para sobrevivir en las temperaturas extremas y en el vacío del espacio, los astronautas necesitan trajes espaciales que sean especialmente confeccionados. Estos gruesos equipos suplen oxígeno, mantienen la presión, conservan la temperatura del cuerpo bajo control, y verifican la presión sanguínea y el ritmo del corazón.

Cuando Neil Armstrong aseguró su lugar en la historia como el primer hombre en caminar sobre la Luna durante la misión de Apolo 11, su traje estaba especialmente diseñado para sustentar la vida durante períodos de actividad extravehicular y operaciones en la astronave despresurizada. El traje, hecho a la medida, permitía una movilidad máxima, y podía usarse con relativa comodidad hasta un período de 115 horas fuera de la astronave o por catorce días en un ambiente despresurizado.

Los astronautas deben depositar una enorme confianza en sus trajes espaciales. Uno describió la pavorosa sensación que experimentó cuando comprendió que al estar fuera de la cápsula espacial, apenas había un material de menos de medio centímetro entre él y la eternidad. ¡Esa sí que es una vestimenta importante!

De vuelta en Gadara, sin embargo, las heladas de las mañanas invernales hacían tiritar el cuerpo desnudo del endemoniado. Y durante el verano caluroso, su piel correosa ardería. Pero ni el calor ni el frío, ni siquiera la vergüenza lo llevaría a cubrir su cuerpo desnudo.

Cuando se trata de vestimenta, los seres humanos difieren de todas las demás criaturas. Todas las otras criaturas en el reino de Dios "nacen con sus ropas puestas", por así decirlo. La cubierta que necesitan crece de adentro hacia afuera. Algunos animales hasta desechan periódicamente su vieja vestimenta y desarrollan nuevas. Los seres humanos son las únicas criaturas cuyas ropas deben venir del exterior.

La Biblia nos dice que Adán y Eva usaron primeramente vestimenta artificial después que comieron el fruto prohibido en el Jardín del Edén. Génesis 3:7 dice: "Entonces fueron abiertos los ojos de ambos, y conocieron que estaban desnudos; entonces cosieron hojas de higuera, y se hicieron delantales".

Nuestros primeros padres tenían el sentido común y la modestia para reconocer cuando estaban desnudos y para buscar un remedio. No todos sienten ese anhelo natural de estar cubiertos.

Cuando yo tenía unos 17 años, viví como un ermitaño en la cueva de una montaña encima de Palm Springs, California. Durante ese tiempo, nunca usaba ropas mientras estaba en la vecindad de mi "hogar". Al principio yo era dolorosamente consciente de que algo me hacía falta, pero después de andar desnudo durante varias semanas, raramente pensaba al respecto. Como el hecho de zambullirse en la basura, usted puede acostumbrarse a casi cualquier cosa si lo hace por suficiente tiempo.

Una o dos veces por semana caminaba hasta la ciudad para mendigar dinero en frente del supermercado local. Siempre llevaba mis ropas en un pequeño atado en el fondo de mi mochila. Cuando me acercaba a las afueras de la civilización, me detenía para vestirme antes de aventurarme dentro de los límites de la ciudad.

En cierta ocasión, me sentí particularmente entusiasmado con el plan de ir al pueblo, porque tenía algo de dinero y una excitante lista de cosillas para comprar. Cuando llegué a la cumbre del cerro, ¡me sentí alborozado! Era una mañana primaveral en el desierto, el sol estaba apenas naciendo, y todo resplandecía con un color bronceado, hermoso: los cerros, los cactus, y aun mi piel parecía dorada.

Tocando mi flauta, bajé la montaña a ritmo de *jazz* y caminé más allá de la enorme roca donde generalmente me detenía para ponerme mis ropas. Todavía hechizado, no noté que me estaba aventurando dentro de los límites de la ciudad, usando sólo una mochila, unas botas para caminar y una sonrisa amigable.

Cuando llegué a una curva en el camino protegido por un gran arbusto, vi a una familia hermosamente vestida —un padre, una madre y dos hijas— de paseo dominical y disfrutando de las flores del desierto. Me sentí tan bien que hasta les ofrecí un saludo y una sonrisa.

¡Se quedaron todos petrificados!

Una conmoción sacudió a la familia. La madre cerró los ojos y ocultó su rostro contra el pecho del padre, las dos niñitas se aferraron cada una a las piernas de su padre y se dieron vuelta, ¡y aun el padre cerró sus ojos!

Instintivamente supuse que algún monstruo aterrorizadoramente espantoso estaba asomándose detrás de mí, y me di vuelta en forma brusca. Pero no vi a nadie. Me pregunté: ¿Qué vieron ellos que los hizo reaccionar con tanto horror? Entonces me di cuenta. Me estaban mirando a mí, ¡y yo estaba desnudo! Abrumado de vergüenza, me deslicé detrás del arbusto más cercano y rápidamente me vestí.

¿Qué me había ocurrido? Me sentía perfectamente bien antes de ver a esta familia. No me habían tocado, y no me dijeron nada. Sin embargo, después de ese encuentro me sentí terriblemente mal. ¿Qué hizo la diferencia? Me vi a mí mismo a través de sus ojos, y vi que estaba desnudo.

Todos nosotros estaríamos mucho más saludables espiritualmente si nos volviésemos a mirar a través de los ojos de Dios. ¡Podríamos descubrir que también estamos desnudos! La Biblia dice que uno de los problemas más serios que enfrenta el pueblo de Dios en los últimos días es que están desnudos. En realidad, el problema no es meramente que están desnudos, sino que están desnudos y no lo saben. Dios dice: "No sabes que tú eres un desventurado, miserable, pobre, ciego y desnudo" (Apocalipsis 3:17).

Un sentido natural de vergüenza

Un profeta del Antiguo Testamento escribió: "El perverso no conoce la vergüenza" (Sofonías 3:5).

Estamos viviendo en una sociedad muy consciente de la psicología. Dondequiera que nos dirigimos, se le dice a la gente: "¡No te sientas mal!" La opinión popular dice: "La culpa es mala, es destructiva". Por supuesto, hay algo de verdad en eso, pero debemos sentirnos culpables cuando somos culpables. No debiéramos sentirnos bien cuando hacemos mal.

El Señor quiere que sintamos culpa y convicción por suficiente tiempo y con suficiente intensidad como para motivarnos a que acudamos a él en busca de perdón. Él no quiere que permanezcamos en un estado de aflicción permanente, pero debemos ser conscientes de nuestra condición caída antes de que él pueda limpiarnos y restaurarnos. ¿Cómo podemos estar arrepentido de nuestros pecados si nosotros no reconocemos nuestro estado miserable?

Una vez que vemos nuestra condición inferior y caemos de rodillas pidiendo perdón, Dios puede activar su poder en nuestras vidas. "Humillaos delante del Señor, y él os exaltará" (Santiago 4:10).

Cuando Adán y Eva desobedecieron a Dios, la luz que los vestía se extinguió. Repentinamente cobraron conciencia de su desnudez y experimentaron un sentido natural de vergüenza (ver Génesis 3:10). Así como hacemos nosotros cuando pecamos, la primera pareja trató de cubrirse para ocultar su culpa, en su caso con hojas de higuera. Pero pronto comprendieron que las hojas no durarían.

Después que la pareja reconoció su culpa ante Dios, él les dio túnicas de pieles.

¿Captó eso? ¡Pieles! Algo tenía que morir para cubrir sus cuerpos desnudos, así como Jesús tuvo que morir para cubrir nuestros pecados.

Cuando el hijo pródigo regresó al hogar, reconociendo sus fracasos, su padre lo recibió, lo abrazó, lo besó, y luego cubrió su suciedad y desnudez con su "mejor" vestido. De la misma manera, Jesús está esperando para vestirnos con su justicia, pero primero debemos ir al hogar tal como somos.

Después que Jesús liberó al endemoniado, encontramos que el hombre está sentado a los pies de Jesús, vestido y en su juicio cabal (ver S. Lucas 8:35). El autor Malcolm Muggeridge dijo: "Los psiquiatras requieren muchas sesiones para aliviar a un paciente de los sentimientos de culpa que han enfermado su cuerpo y su mente; el poder de Jesús de persuasión espiritual y moral fue tan irresistible que pudo producir el mismo efecto, tan sólo diciendo: 'Tus pecados son perdonados' ".

"Él… huyó desnudo"—S. Marcos 14:52.

Se retiraron desnudos

Cada año la ciudad de Pamplona, España, es la anfitriona de la tradicional "corrida de toros". Muchas almas valientes tientan la suerte en este peligroso festival, cuyas consecuencias son personas heridas e incluso muertas. Seis toros y seis novillos persiguen a unas dos mil personas a través de calles estrechas y adoquinadas.

Cierto año, un programa televisivo de noticias transmitió las escenas de un tonto temerario que, en un aparente despliegue de machismo para mostrar su valentía, corrió directamente hacia un toro en un estadio con el propósito de provocarlo. Pronto se encontró, en forma bien literal, en los cuernos de un dilema. El toro se ingenió para enganchar los pantalones del hombre y lo sacudió como si él fuese más que una muñeca de trapo… ¡hasta que el individuo perdió sus pantalones y calzoncillos! La toma final mostraba al hombre huyendo desnudo, sin duda avergonzado, mientras los espectadores reían estrepitosamente. Es generalmente cierto que cuando jugamos con Satanás, terminamos huyendo, desnudos y avergonzados.

La Biblia comparte una historia muy interesante en conexión con la traición y el arresto de Jesús. Mientras una turba lo llevaba, un hombre anónimo intentó seguirlo, para observar la suerte de Jesús: "Cierto joven le seguía, cubierto el cuerpo con una sábana; y le prendieron; mas él, dejando la sábana, huyó desnudo" (S. Marcos 14:51, 52). Muchos eruditos creen que este joven era el mismo Marcos.

Esto representa la naturaleza de Satanás y del pecado, un dúo mortal que lo desnudará a uno y lo despedirá haciéndolo correr en forma avergonzada. Después que Adán y Eva comieron el fruto prohibido y se desvanecieron sus mantos de luz, sintieron vergüenza a causa de su desnudez. Cuando Dios vino para buscarlos, los encontró temblando en los arbustos (ver Génesis 3:7, 8).

Una práctica común en muchas culturas antiguas era desnudar a los cautivos tomados en la guerra y hacerlos marchar desnudos por las calles (ver 2 Crónicas 28:15). De la misma manera, Satanás quiere exhibir y humillar a sus prisioneros, despojándolos de su dignidad y exponiendo su vergüenza ante el cielo.

El libro de los Hechos de los apóstoles habla de algunos jóvenes que intentaron temerariamente sacar un espíritu maligno de una persona poseída. Su intento resultó en otra huida en estado de desnudez. "Y el hombre en quien estaba el espíritu malo, saltando sobre ellos y dominándolos, pudo más que ellos, de tal manera que huyeron de aquella casa desnudos y heridos" (Hechos 19:16). La Biblia registra otros casos que armonizan con este patrón en el cual el diablo desviste al desobediente. Por ejemplo, Noé se emborrachó y luego andaba a los tropezones desnudo (ver Génesis 9:21), y cuando los hijos de Israel adoraron al becerro de oro, estaban desnudos (ver Éxodo 32:25, KJV).

"Ni moraba en casa, sino en los sepulcros"—S. Lucas 8:27.

El pecado separa

Aun, personas emocionalmente saludables, son propensos a ser excéntricos cuando no tienen la interacción social con otros, que ayuda a equilibrar nuestros pensamientos. Los espíritus malignos amenazadores que poseían al endemoniado lo hundieron en falsas percepciones de la realidad, y frecuentemente lo dejaron murmurando incoherentemente; y de ese modo lo aislaban, como a un leproso, de la familia, los amigos y la sociedad normal. Esto sólo agravaba sus problemas.

Una ley simple y confiable de la vida es que el amor une y el pecado separa. Isaías escribió: "Vuestras iniquidades han hecho división entre vosotros y vuestro Dios" (Isaías 59:2). El pecado nos separa de Dios. Así como la luz y la oscuridad no pueden coexistir, de la misma manera el pecado nos aleja de Dios.

El pecado nos separa los unos de los otros. La epidemia de divorcio que hay en nuestra cultura nos provee una amplia evidencia de esto. "Y por haberse multiplicado la maldad, el amor de muchos se enfriará" (S. Mateo 24:12).

Y finalmente, el pecado causa divisiones dentro de nosotros mismos. Las masas humanas llenas de medicamentos, abrumadas por la culpa que procede mayormente de una baja autoestima, son evidencia de esto.

Jesús vino a poner punto final a toda esta separación. Su amor es la escalera, el eslabón, que une el cielo y la tierra. Es su amor lo que reconstituye las relaciones rotas por el pecado. "Pero ahora en Cristo Jesús, vosotros que en otro tiempo estabais lejos, habéis sido hechos cercanos por la sangre de Cristo. Porque él es nuestra paz, que de ambos pueblos hizo uno, derribando la pared intermedia de separación" (Efesios 2:13, 14).

"Le ataban con cadenas y grillos"—S. Lucas 8:29.

Adornado con cadenas

En la Edad Media, un herrero fue encarcelado por un crimen serio y se lo encadenó para impedir cualquier intento de huida. El herrero había hecho muchas cadenas, de modo que comenzó a examinar con ansioso interés las que lo sujetaban. Su experiencia le había enseñado que las cadenas hechas por otros herreros a menudo eran deficientes, y esperaba encontrar una falla en la que lo ataba. Pero repentinamente su esperanza se desvaneció. Ciertas marcas en la cadena revelaban que él la había hecho, y se había esforzado para ganarse la reputación de hacer cadenas perfectas, inquebrantables. No tenía esperanza de alguna vez romperla y recuperar la libertad.

Las cadenas destrozadas que adornaban las manos y los pies del endemoniado representan los pecados que atan a cada pecador y afectan su capacidad para resistir.[1] Como el herrero, la mayoría de

---

1   Estas cadenas también representan el juicio inminente que hará temblar a Satanás, a sus ángeles y a todos los que lo siguen. "A los ángeles que no guardaron su dignidad, sino que abandonaron su propia morada, los ha guardado bajo oscuridad, en prisiones eternas, para el juicio del gran día" (S. Judas 6; ver también 2 S. Pedro 2:4).

nosotros estamos atados con cadenas que nosotros hemos forjado. "Prenderán al impío sus propias iniquidades, y retenido será con las cuerdas de su pecado" (Proverbios 5:22). Samuel Johnson imitó este proverbio cuando dijo: "Las cadenas de un mal hábito son demasiado débiles para sentirse hasta que son demasiado fuertes para romperse".[2]

Tengo una teoría radical. Creo que Dios creó a todos los seres humanos para que sean adictos. Así es, cada uno de nosotros es un adicto, ¡y Dios nos ha diseñado de esa manera! A saber, el Creador nos hizo para que fuésemos adictos a él. De modo que cuando la gente lo rechaza, luchan en vano para llenar ese oscuro agujero cavernoso con alguna otra obsesión. Como resultado, la gente llega a someterse a un amplio espectro de adicciones. Algunos se vuelven adictos al trabajo. Otros llegan a ser adictos a la comida, y sufren de bulimia, anorexia u obesidad. Otros eligen el alcohol, las drogas o los cigarrillos. Para otros es el sexo o la música. Para otros aún, es la moda y la apariencia exterior; se consumen con el materialismo y la vanidad. También están aquellos que se vuelven adictos a otras personas en relaciones retorcidas y dependientes.

Todas esas adicciones son intentos mal dirigidos para llenar un vacío destinado para Dios. Pero es sólo en el amor de Dios que encontraremos verdadero gozo, paz y satisfacción.

Una historia de la Biblia nos ofrece una gran ilustración llena de ánimo. El apóstol Pedro estaba encarcelado sin esperanza, sujetado por dos cadenas y destinado para el juicio. Pero cuando obedeció las sencillas instrucciones de un ángel, las cadenas se le cayeron milagrosamente de las manos. La Biblia registra así este incidente:

"La misma noche en que Herodes estaba a punto de sacar a Pedro para someterlo a juicio, éste dormía entre dos soldados, sujeto con dos

---

2   Imagino que las diez ciudades de Decápolis podrían haber tenido una competencia permanente para ver quién podía apresar y controlar al loco del lugar. Esas diez ciudades podrían ser vistas como representativas de los Diez Mandamientos que el endemoniado se negaba a guardar. Esos mandamientos obran como cadenas y grillos para refrenar a los pecadores de su curso malvado. Con todo, al igual que el endemoniado, los pecadores rompen tercamente esas bandas que los frenan.

cadenas. Unos guardias vigilaban la entrada de la cárcel. De repente apareció un ángel del Señor y una luz resplandeció en la celda. Despertó a Pedro con unas palmadas en el costado y le dijo: '¡Date prisa, levántate!' Las cadenas cayeron de las manos de Pedro" (Hechos 12:6, 7, NVI).

Lo hermoso aquí es que Dios nos persigue, encontrándonos donde estamos, cualesquiera sean las cadenas que nos atan. Así como Jesús vino al cementerio del endemoniado y el ángel llegó a la galería de los condenados a muerte donde estaba Pedro, de la misma manera el Espíritu viene a nosotros, que estamos sujetos en cautiverio por Satanás. "El pueblo que andaba en tinieblas vio gran luz; los que moraban en tierra de sombra de muerte, luz resplandeció sobre ellos" (Isaías 9:2).

Vemos este mensaje evangélico cuando Pedro estaba limpiando sus redes sucias, cuando Mateo estaba contando su dinero deshonesto, y cuando María Magdalena estaba en el templo después de ser sorprendida en un acto inmoral. Jesús nos encuentra en nuestra prisión, así como encontró a Pedro, Mateo y María, y nos invita a dejar atrás nuestras cadenas y a seguirlo, no por compulsión sino como siervos voluntarios.

El 31 de julio de 1838, un gran grupo de esclavos se reunió en una playa en Jamaica para una ocasión solemne pero gozosa. Al día siguiente iba a ser abolida la esclavitud. Esos esclavos habían construido un enorme ataúd de caoba y lo colocaron junto a una tumba profunda que habían cavado. Al anochecer de ese día colocaron los símbolos de su esclavitud en el ataúd: cadenas, grillos, látigos y candados. Unos pocos minutos antes de la medianoche, pusieron el ataúd dentro de la tumba. Luego, mientras estos esclavos arrojaban arena en la fosa, unieron sus voces para cantar la doxología: "A Dios, el Padre celestial; al Hijo, nuestro Redentor; al eterno Consolador, unidos, todos alabad". Ahora eran libres. Al día siguiente, muchos de ellos regresaron al trabajo en los campos o en los muelles, pero esta vez como hombres y mujeres libres.

Similarmente, las personas que aceptan la muerte de Cristo son liberadas de su esclavitud al pecado. Y como esos ex esclavos, cuando estén en el cielo, se verán libres del mismo recuerdo y presencia del pecado. "Pero gracias a Dios que, aunque antes eran esclavos del pecado, ya se han sometido de corazón a la enseñanza que les fue transmitida. En efecto, habiendo sido liberados del pecado, ahora son ustedes esclavos de la justicia" (Romanos 6:17, 18, NVI).

Eran "feroces en gran manera, tanto que nadie podía pasar por aquel camino"—S. Mateo 8:28.

Corazones llenos de ira

La expresión "violencia *en los caminos*" se ha añadido bien recientemente a nuestro vocabulario. Describe un fenómeno alarmante en los Estados Unidos. Motoristas airados disparan armas de fuego y matan a otros choferes que a juicio de ellos han ejecutado alguna maniobra desconsiderada u ofensiva, o deliberadamente persiguen a otros vehículos y se estrellan contra ellos. Esta práctica creciente se ha convertido en un problema tan real que la Asociación de automóviles de los Estados Unidos difundió una serie de avisos televisivos para enseñar a los conductores cómo mantener la serenidad y cómo evitar convertirse en víctimas.

Mateo nos dice que el endemoniado estaba furioso y lleno de ira, atacando a cualquiera que se aventurase a usar el camino delante de las tumbas que él habitaba. Se asemejaba más a un animal que a un ser humano. Del mismo modo, creo que cuando las personas pierden los estribos, pueden estar —por lo menos temporariamente— poseídas por el demonio.

La historia siguiente ayudará a ilustrar mis razones para esta convicción. Una joven madre comenzó a observar algunos programas de televisión de *Hechos asombrosos* y se sintió inducida a entregar su vida a Jesús. Comenzó a estudiar la Biblia y a creer la verdad que ésta contiene. Le dijo a su novio que vivía con ella que debían casarse o separarse.

Este ultimátum enfureció al novio. Cierta tarde, cuando la mujer estaba clavando una copia de los Diez Mandamientos contra la pared, él le arrebató el martillo y comenzó a golpearla con esa herramienta. La conmoción hizo que su bebé en la pieza contigua comenzara a llorar.

El hombre, pensando que había matado a su amiga, fue al cuarto de al lado y mató al niño. El arrendatario de la pareja oyó el ruido y entró por la fuerza para ver qué estaba ocurriendo. Cuando el enfurecido joven se abalanzó contra él, el arrendatario disparó su arma y lo mató.

Me enteré de la terrible tragedia cuando la desolada joven, que milagrosamente había sobrevivido con sólo heridas menores, me contactó. Me llamó para preguntarme si podía dirigir el funeral para su bebé, el niño cuyo padre lo había asesinado porque perdió su control.

Lo que más me impresionó fue el hecho de que la explosión del padre ocurrió cuando la madre colocó los Diez Mandamientos en la pared. Pensé que esta debía ser una evidencia significativa de la inspiración satánica de todo el incidente. El diablo especialmente odia la ley de Dios, porque la ley identifica el pecado. La Escritura nos dice que el pecado es la transgresión de la ley (ver 1 S. Juan 3:4).

Estamos viviendo realmente en la "era de la violencia". La gente está hirviendo y ardiendo por dentro. Las úlceras y los antiácidos no son los únicos subproductos de un mundo airado; cada día los titulares están salpicados con historias de individuos que pierden los estribos y cometen algún acto horroroso de violencia contra personas completamente desconocidas, compañeros de trabajo o, aun más comúnmente, miembros de sus propias familias.[3]

Necesitamos reparar en esta tendencia. La profecía bíblica nos ha advertido que en los últimos días, la ira desenfrenada, las diatribas y los accesos de enojo llegarían a ser la norma. El apóstol Pablo dijo que la ira es uno de los frutos de la carne: "Manifiestas son las obras de la carne, que son: adulterio, fornicación, inmundicia, lascivia, idolatría, hechicerías, enemistades, pleitos, celos, explosiones de ira" (Gálatas 5:19, 20, NRV 2000).

La ira es muy costosa

Un proverbio italiano advierte: "La ira es una mercadería muy costosa". El gran maestro Toscanini era bien conocido por sus feroces

---

3   Tal vez no es coincidencia que el primer asesinato registrado en la Biblia ocurrió cuando un hombre perdió su dominio propio y mató a su hermano (ver Génesis 4:3-8).

explosiones de ira. Cuando los miembros de su orquesta tocaban mal, él tomaba cualquier cosa que estaba a la vista y la arrojaba al piso.

Durante un ensayo, alguien tocó una nota desafinada. Toscanini reaccionó aferrando su propio reloj, que era muy valioso, y destrozándolo más allá de cualquier posibilidad de reparación. Poco después, recibió de sus devotos músicos una caja lujosa y forrada de terciopelo que contenía dos relojes: uno, un hermoso reloj cronómetro de oro; el otro, un reloj barato sobre el cual estaba la inscripción, "Sólo para ensayos".

Más recientemente, un atleta talentoso perdió la paciencia y golpeó a su entrenador, lo que le costó un contrato de 32 millones de dólares. Y el boxeador peso pesado Mike Tyson estalló durante una pelea de box ¡y procedió a sacarle un pedazo de la oreja a su oponente con un mordiscón! Esa explosión le costó millones. Lo último que oí fue que Tyson había malgastado más de trescientos millones de dólares de sus ganancias y que estaba en bancarrota.

Sin embargo, la mayoría de las personas no pierde esa cantidad de dinero a causa de su ira. Por lo tanto, algunos piensan que un mal temperamento es simplemente una característica heredada que no debiera ser tomado demasiado seriamente. Mientras sus rabietas no ocurran frecuentemente, no hay necesidad de preocuparse. "Es parte de nuestra naturaleza", dicen. Pero la Biblia enumera las explosiones de ira como una de las obras de la carne, lo que significa que son inspiradas por el diablo y no algo para considerar livianamente. No podemos pasarlas por alto jocosamente, diciendo: "Bien, ésta es simplemente la manera de ser de mi familia", o, "No puedo evitar, soy irlandés". Bíblicamente, la ira incontrolada es un pecado, y no hay excusa para el pecado.

Si bien la Biblia no habla de pérdidas monetarias debido a la ira, usted encontrará en ella historias de algunos otros costos asombrosos asociados con apenas una pérdida momentánea de la paciencia. Por ejemplo, aunque Moisés experimentó cuarenta años de milagros, Dios no le permitió conducir a los hijos de Israel a la Tierra Prometida. ¿Por qué? Porque perdió la paciencia en las mismas fronteras de Canaán. Como dijo Will Rogers: "No levante vuelo en una explosión de ira a menos que esté preparado para un aterrizaje duro".

Aquellos que pierden los estribos no comprenden que al menos momentáneamente están poseídos por un demonio. Cuando usted pierde su temperamento, el diablo es el que lo encuentra, y antes de que usted se dé cuenta, estará manifestando los frutos de la carne. Incontables matrimonios han muerto porque alguno de los cónyuges en una explosión de ira desvariada habló irreflexivamente palabras cortantes que no pudo revocar. Han comenzado guerras en las que millones perecieron porque algún gobernante, en un acceso de ira, hizo una decisión apresurada.

Inversamente, Jesús es conocido por su serena mansedumbre. Aquellos que lo siguen debieran imitar su bondadosa paciencia.

La ira nos destruye

De acuerdo con lo que dice la mitología, Sinbad y sus marinos desembarcaron en una isla tropical y vieron, bien alto en las palmeras, cocos que podían aplacar su sed y satisfacer su hambre. Incapaces de llegar hasta los cocos, Sinbad y sus hombres comenzaron a arrojar piedras y palos a algunos monos charlatanes que estaban en lo alto de los árboles. Airados, los monos arrancaron los cocos y se los lanzaron a los hombres, exactamente lo que quería Sinbad.

Esta es una buena ilustración de cómo, cuando damos rienda suelta a nuestra ira, nos colocamos en las manos del diablo.

Thomas A. Kempis dijo: "Cuando la ira entra en la mente, sale la sabiduría". Otra persona opinó: "Cuanto menos agua hay en la olla, más rápidamente hierve". Básicamente, un genio rápido indica falta de sabiduría. Si usted constantemente está compartiendo "todo lo que está en su mente" con los demás, eventualmente podría quedarse sin nada; como la frustrada maestra le espurreó cierta vez a su clase: "¡Me han hecho pensar tanto que no puedo enojarme bien!"[4]

---

4   Mi querida esposa, Karen, cometió un *lapsus verbal* similar en la iglesia cierto día. Yo soy el pastor de una iglesia bastante grande, y antes del servicio religioso, mientras muchos de los miembros se estaban saludando en el atrio, nuestros dos hijos menores, Stephen y Nathan, se volvieron muy traviesos a pesar de los ruegos bondadosos y constantes de su madre. Exasperada, ella subconscientemente mezcló sus nombres y gritó: "¡Satán, ven aquí!" Por supuesto, ¡esto causó algunas miradas sorprendidas entre los padres que estaban de pie cerca!

He oído decir a algunas personas: "Perder los estribos es bueno para su salud. Todos necesitamos desahogarnos de vez en cuando para dejar escapar algo de la presión". No creo eso ni por un instante. En realidad, la Biblia enseña lo opuesto. Cuando el rey de Judá perdió su dominio propio en la casa de Dios, salió de allí leproso. "Uzías, teniendo en la mano un incensario para ofrecer incienso, se llenó de ira; y en su ira contra los sacerdotes, la lepra le brotó en la frente, delante de los sacerdotes en la casa de Jehová" (2 Crónicas 26:19).

A menudo, la ira produce realmente síntomas visibles: un rostro enrojecido, las venas del cuello hinchadas, los puños apretados y tartamudeo. El investigador de Harvard Dr. Walter Cannon describe sus síntomas más insidiosos e invisibles: "La respiración se hace más profunda; el corazón late más rápidamente; la presión arterial sube; la sangre va del estómago y los intestinos al corazón, al sistema nervioso central y a los músculos; los procesos del aparato digestivo cesan; se libera el azúcar de las reservas en el hígado; el bazo se contrae y descarga su contenido de corpúsculos concentrados, y se secreta adrenalina. La visión de la persona enojada puede también borrarse, porque la ira nubla los centros visuales del cerebro".

A veces me pregunto cuántas personas están físicamente enfermas a causa que están hirviendo de ira o amargadas por dentro. Conozco a personas que gastan millones de dólares en sedativos cada año en un intento por calmar sus corazones airados. La Biblia dice: "El corazón alegre constituye buen remedio" (Proverbios 17:22). Si eso es cierto, probablemente podemos decir con seguridad que lo opuesto también es cierto, que la ira, la amargura y un espíritu no perdonador pueden enfermar a una persona.

Los cristianos deben aprender a liberar toda su amarga ira a través de Jesús. Él dijo: "Venid a mí todos los que estáis trabajados y cargados, y yo os haré descansar" (S. Mateo 11:28).

"Y nadie le podía dominar"—S. Marcos 5:4.

Domando un corazón salvaje

El llamativo dúo de Siegfried y Roy había actuado en el Hotel Mirage, en Las Vegas, durante casi tres décadas. Centenares de miles de espectadores habían venido para ver su espectáculo mágico, realzado por la actuación de enormes y hermosos tigres blancos. Roy Horn pasó muchos años entrenando a los gigantescos gatos para que obedecieran sus órdenes. En su intento por domar las bestias, fue hasta el extremo de comer, nadar y dormir con ellas.

Luego, el 3 de octubre del 2003, sin ninguna explicación un tigre blanco de siete años que había conocido a Horn desde que era un cachorro, lo atacó en frente de una audiencia en vivo, el día cuando el mago cumplía cincuenta y nueve años. A la mitad de la función, el tigre se lanzó sobre Horn y lo arrastró hacia fuera del escenario como a un juguete. Las heridas casi fatales de Horn probablemente le impedirán continuar actuando con animales.

La Biblia enseña: "Engañoso es el corazón más que todas las cosas, y perverso; ¿quién lo conocerá?" (Jeremías 17:9). Nuestros corazones son como bestias salvajes impredecibles; no los conocemos ni los podemos conocer.

El profeta Balaam pensó que podía resistir las recompensas del rey Balac, pero traicionó a su Dios a través de una racionalización mal encaminada. Y Sansón pensó que podía jugar con la seductora Dalila y bromear con ella. No reconoció la debilidad que había en su propio corazón.

Cuando Jesús estuvo aquí en persona, Pedro, uno de los discípulos más cercanos a él, pensó que conocía su propio corazón. Jesús le advirtió de antemano que lo traicionaría, pero Pedro juró: "Aunque me sea necesario morir contigo, no te negaré" (S. Mateo 26:35). Por supuesto, esa misma noche Pedro negó tres veces que conocía a Jesús.

Todos luchamos con estas oscilaciones salvajes e impredecibles de nuestra naturaleza, a semejanza de los cambios de Jekyll en Hyde, y viceversa. Pablo escribió: "No entiendo lo que me pasa, pues no hago lo que quiero, sino lo que aborrezco" (Romanos 7:15, NVI). Los métodos humanos fracasan para transformar nuestro corazón egoísta, rebelde y depravado. En realidad, la verdadera conversión no es una cirugía de corazón sino más bien un trasplante de corazón. Dios ha prometido: "Os daré corazón nuevo, y pondré espíritu nuevo dentro de vosotros; y quitaré de vuestra carne el corazón de piedra, y os daré un corazón de carne" (Ezequiel 36:26).

No podemos controlar nuestra naturaleza pecaminosa. Sólo cuando permitimos que el corazón de Jesús reemplace nuestro corazón corrupto es que la naturaleza pecaminosa puede ser puesta bajo sujeción. Sólo Jesús, como nuestro Señor y Maestro, puede domar el "viejo hombre" que está dentro de nosotros. Entonces "hallaréis descanso para vuestra alma" (Jeremías 6:16).

"Anda siempre, día y noche... gritando"
—*S. Marcos 5:5,* La Biblia Latinoamericana.

Siempre gritando

Después del primer día de la fiera lucha en la batalla de Fredericksburg, Virginia, en la Guerra Civil, centenares de soldados de la Unión, heridos y sangrantes, yacían clamando en el campo de batalla. El fuego de artillería impidió que se los socorriese durante toda la noche y la mayor parte del segundo día del conflicto, de modo que en todo momento los soldados en las líneas de batalla podían oír sus gritos agonizantes: "¡Agua! ¡Agua!"

Siempre impacientes, siempre lastimeros, como las olas oscuras que rodaban desde su corazón cautivo a través de sus cuerdas vocales, así llegaban constantemente los gritos pesarosos del endemoniado. Ecos de los gritos continuos de esta pobre alma perdida resonarán por todo el universo desde las almas desdichadas que estarán eternamente separadas de la presencia de Dios. "Entonces el rey dijo a los que servían: Atadle de pies y manos, y echadle en las tinieblas de afuera; allí será el lloro y el crujir de dientes" (S. Mateo 22:13). "No hay paz para los malos, dijo Jehová" (Isaías 48:22).

De acuerdo con el comentador Kenneth S. Wuest, la palabra "gritar" indica "un fuerte chillido o alarido".[5] ¿Puede usted imaginarse el terrible temor que deben haber sentido los habitantes del pueblo cuando los gritos animales y horripilantes del endemoniado resonaban en forma espeluznante a través de las montañas y los despertaban en la tranquilidad de la noche?

En su libro *The Valiant Papers* (Los documentos valientes), Calvin Miller escribió: "Llorar es común en este mundo… La risa puede oírse aquí y allá, pero en general predomina el llanto. Con la madurez cambia el sonido y la razón para llorar, pero nunca se detiene. Todos los infantes lo hacen en todas partes, aun en público. Cuando somos adultos, se llora generalmente a solas y en la oscuridad".

Los pensamientos de Miller encuentran respaldo en la Biblia. Pablo observó: "Porque sabemos que toda la creación gime a una, y a una está con dolores de parto hasta ahora" (Romanos 8:22).

Pero volvamos a la historia de los soldados de la Unión gimiendo en el campo de batalla, como es contada mediante la pluma de John W. Halliday: "Pronto un noble soldado del sur, el sargento Richard Kirkland, se elevó por encima del amor a su propia vida, y le dijo al general Kershaw:

"—¡No puedo aguantar esto por más tiempo! ¡Esas pobres almas han estado orando y gritando toda la noche y todo el día, y esto es más de lo que yo puedo soportar! Le pido permiso para ir y darles agua.

"—Pero tan pronto como usted se exponga al enemigo, ¡le dispararán!' —advirtió el general.

"—Sí, señor —contestó el soldado—, pero estoy dispuesto a ello para llevar un poco de consuelo a esos pobres hombres moribundos.

"El general vaciló, pero su corazón también se conmovió con la misma simpatía de su subordinado.

"—Kirkland, es enviarlo a su muerte, pero no puedo oponerme a un motivo como el suyo. Espero que Dios lo proteja. Vaya.

"De modo que el valiente soldado, provisto con una reserva de agua, pasó por encima del terraplén de piedra y comenzó con su

---

5   Wuest´s Word Studies From the Greek New Testament, p. 101.

obra de misericordia semejante a la de Cristo. Ojos asombrados lo contemplaban mientras se arrodilló junto al sufriente más cercano, levantó tiernamente su cabeza, y sostuvo la copa refrescante en sus labios resecos. Cada soldado en la línea azul de la Unión comprendió la misión afectuosa del hombre de uniforme gris, y no se disparó ni un solo tiro. Por más de una hora, uno tras otro de los llorosos, heridos y moribundos recibió agua refrescante, se le enderezaron sus miembros acalambrados o destrozados, se le acomodó su cabeza en su mochila, y se lo cubrió con su saco o frazada tan tiernamente como lo hubiera hecho su propia madre".

Así es también en el gran campo de batalla de la vida, donde las almas están clamando y muriendo debido a los temibles efectos del pecado. Están sedientas del agua de vida, con nadie que les alcance la bebida refrescante que tanto anhelan, excepto aquel que traspuso los muros del cielo y descendió para arriesgarlo todo en la cruz del Calvario a fin de rescatarlos de sus pecados, dándoles el agua de la vida eterna.

Henry Ward Beecher dijo: "Dios lava los ojos mediante lágrimas hasta que puedan contemplar la tierra invisible donde no habrá más lágrimas". Allí Jesús vendrá y limpiará las lágrimas de nuestros ojos. "Ciertamente llevó él nuestras enfermedades, y sufrió nuestros dolores" (Isaías 53:4).

Para los perdidos, siempre hay llanto en lo interior. Como ocurrió con el endemoniado, así es con los que no son salvos. Pero hay muy buenas noticias para el cristiano: este llanto no es permanente. "Por la noche durará el lloro, y a la mañana vendrá la alegría" (Salmo 30:5).

"Y siempre, de día y de noche, andaba…
hiriéndose con piedras"—S. Marcos 5:5.

Cortándonos a nosotros mismos

Los médicos dicen que la automutilación está en aumento como un problema médico. Se la define como cualquier daño compulsivo que uno se hace al propio cuerpo sin intención de producir muerte. Más a menudo se la realiza para liberar el dolor emocional, la ira o la ansiedad; para rebelarse contra la autoridad o para sentirse en control. Algunas formas comunes de automutilación son: cortarse la piel con un objeto cortante (lo más común), quemarse la piel o rascársela con las uñas, golpearse a uno mismo, clavarse con una aguja, golpearse la cabeza, apretarse los ojos, morderse los dedos o los brazos, y arrancarse los cabellos.

La mayoría de nosotros rápidamente reconocería que las personas que se cortan o arrancan un ojo con rocas o cuchillos tienen una severa perturbación mental o emocional, pero estas prácticas no son más comunes que ciertas formas dañinas de fanatismo religioso. En 1973, un católico sumamente fanático, Patrice Tamao, de la República Dominicana, permitió que se lo crucificase mientras miles observaban por televisión. Patrice hizo que le atravesasen las manos y los pies con tres clavos de acero inoxidable, de quince centímetros de longitud. Planeaba permanecer en la cruz por cuarenta y ocho horas, pero cuando se produjo una infección, pidió que lo bajasen. Había estado crucificado por veinte horas. Parece que el endemoniado también estaba tratando de expiar sus pecados con su propia sangre. Si Jesús no lo hubiera librado, eventualmente podría haberse desangrado hasta morir.

Esta práctica de tratar de ganar méritos ante Dios infligiéndose castigo físico se encuentra en el fundamento de muchas religiones falsas. En algunos casos, los adoradores pueden flagelarse o hacer largos peregrinajes sobre rodillas sangrientas. Cualquiera sea el caso, cualquier esfuerzo que hagamos por expiar nuestros pecados castigándonos a nosotros mismos equivale a nada más que cortarnos con piedras. Tales esfuerzos son tan efectivos como si los pasajeros de un avión tratasen de ayudar a los pilotos de un lujoso 747 a hacer la travesía batiendo sus brazos mientras el avión vuela por encima del océano.

El apóstol Pablo escribió: "Si entregase mi cuerpo para ser quemado, y no tengo amor, de nada me sirve" (1 Corintios 13:3). Y nos recordó que tal actitud está horriblemente mal encaminada: "Porque por gracia sois salvos por medio de la fe; y esto no de vosotros, pues es don de Dios" (Efesios 2:8).

En realidad, cualquier esfuerzo que hacemos para expiar nuestros pecados infligiéndonos sufrimiento deliberadamente, es un insulto al sacrificio y los sufrimientos del Hijo de Dios.

Perforación del cuerpo

Más que en cualquier otra época de la historia de los Estados Unidos, la gente hoy día está mutilando sus cuerpos en un sacrificio poco afortunado ante el dios de la moda y de la novedad. Múltiples perforaciones de las orejas, anillos en las cejas y la nariz, y clavos que atraviesan la lengua, testifican de la influencia autodestructiva que el diablo ejerce sobre nuestra cultura. Me duele el corazón por los jóvenes de nuestra generación, y por algunas personas mayores también, que parecen no recordar la historia pagana y satánica de perforar el cuerpo y hacerse tatuajes.[6]

La Escritura nos dice qué ocurrió cuando los profetas de Baal, adoradores del diablo, trataron de atraer la atención de sus dioses mutilando sus cuerpos. "Y ellos clamaban a grandes voces, y se sajaban con cuchillos y con lancetas conforme a su costumbre, hasta chorrear la sangre sobre ellos" (1 Reyes 18:28). Dios nos advierte fuertemente que no hemos de seguir este ejemplo: "Y no haréis rasguños en vuestro cuerpo por un muerto, ni imprimiréis en vosotros señal alguna" (Levítico 19:28). En realidad, la Biblia enseña claramente que nuestros cuerpos son el templo de Dios, y que "si alguno destruyere el templo de Dios, Dios le destruirá a él; porque el templo de Dios, el cual sois vosotros, santo es" (1 Corintios 3:16, 17).

Imagínese una pandilla de vándalos cubriendo con grafiti el costado de una hermosa catedral, excavando las paredes de mármol blanco con un martillo perforador, o lanzando piedras a través de luminosos vitrales. Esto es lo que el diablo quiere que hagamos a nuestros cuerpos, que han de ser la santa propiedad de Dios y el lugar donde él mora. "Así que, hermanos, os ruego por las misericordias de Dios, que presentéis vuestros cuerpos en sacrificio vivo, santo, agradable a

---

6   Siempre he creído que Dios creó nuestros cuerpos con el número apropiado de agujeros. Nunca ha sido su plan que añadamos o disminuyamos ese número.

Dios, que es vuestro culto racional. No os conforméis a este siglo, sino transformaos por medio de la renovación de vuestro entendimiento, para que comprobéis cuál sea la buena voluntad de Dios, agradable y perfecta" (Romanos 12:1, 2).

Una serpiente cascabel atrapada por un incendio puede enloquecerse tanto que se muerda a sí misma con sus colmillos mortales. De la misma manera, muchos que siguen al diablo tienen una sensación interior de su ruina inminente, y frecuentemente atacan en forma desenfrenada lastimándose a sí mismos. Satanás, que sabe que su tiempo es corto, quiere derribar consigo a tantos cuantos pueda (Apocalipsis 12:12). Una de las maneras en que mejor sirve a este propósito es induciendo a la gente a destruirse a sí misma.

Los seres humanos son meramente peones de ajedrez en el gran conflicto cósmico entre Cristo y Satanás. En última instancia, el odio del diablo hacia los seres humanos es una extensión de su odio furioso contra Jesús. Él sabe cuánto Jesús ama a la raza humana; él sabe mejor que nosotros a cuánto renunció el Hijo de Dios cuando vino a la tierra en la forma de un hombre para redimirnos. Recuerde, en un tiempo Satanás vivió como un ser no caído en la presencia del Altísimo.

La preocupación de Satanás con la actividad de perforar el cuerpo podría incluso relacionarse con las heridas penetrantes que Jesús recibió a través de las espinas, los clavos y la lanza. Quizá Satanás no entienda por qué Jesús nos ama como lo hace, pero sí conoce la profundidad de su amor. Y él reconoce que la mejor manera como puede entristecer al Señor es lastimando a quienes Jesús ama. Él hará todo lo que sea necesario, incluso la posesión demoníaca, para asegurarse de que nunca veamos el amor de Jesús por nosotros. Hablaremos más de esto en la siguiente sección.

Intercambiando lugares

Hay una historia sobre dos hermanos filipinos, mellizos idénticos, que vivían en Manila y que se ganaban la vida manejando taxis. Aunque eran mellizos y tenían trabajos similares, vivían vidas muy diferentes. Uno estaba casado y tenía hijos; el otro era soltero. Entonces, cierto día, el hermano casado accidentalmente atropelló y mató a un turista con su taxi. Acusado de manejar en forma imprudente, el mellizo fue sentenciado a veinte años de cárcel en la conocida prisión de mala fama de Manila, una suerte devastadora que dejaría a su esposa e hijos sin ingresos.

Cierto día, su hermano mellizo vino a visitarlo en la prisión. Le dijo: "Hermano, tu familia te necesita desesperadamente. Ponte mis ropas y toma mi pase de visitante, y yo me pondré tu uniforme de la cárcel y serviré el resto de tu sentencia. Ve con tu familia". De manera que cuando los guardias no estaban mirando, los mellizos intercambiaron sus ropas, y el hermano casado salió de la prisión sin problemas. ¿Cree usted que el mellizo que recuperó la libertad pudo alguna vez dejar de pensar en el sacrificio que hizo su hermano al intercambiar lugares con él?

Sería negligente si dejase esta sección que trata de los vívidos símbolos del pecado encontrados en la historia del endemoniado sin referirme a uno de los más cruciales. La condición del loco perdido presenta el cuadro final del pecado: el endemoniado estaba pobre, desnudo, sucio, separado de Dios, atormentado por los demonios, y morando cerca de la muerte.

¿Captó eso, amigo? ¿Se da cuenta hacia dónde me dirijo? ¡Acabo de describir la condición de Jesús en la cruz! Cuando nuestro Señor sufrió y murió por nuestros pecados, abrazó la experiencia de los perdidos.

"Porque ya conocéis la gracia de nuestro Señor Jesucristo, que por amor a vosotros se hizo pobre, siendo rico, para que vosotros con su pobreza fueseis enriquecidos" (2 Corintios 8:9). Jesús experimentó la vergüenza y la desnudez del endemoniado para que sus ricos mantos pudieran vestirnos.

"Él herido fue por nuestras rebeliones, molido por nuestros pecados; el castigo de nuestra paz fue sobre él, y por su llaga fuimos nosotros curados" (Isaías 53:5). Como el loco, Jesús fue torturado y atormentado por legiones de ángeles malos. Fue separado de los humanos y de Dios para que pudiera restaurar nuestra relación con nuestro Señor y nuestro prójimo. Las manos y los pies del endemoniado estaban llenas de cicatrices causadas por aquellos que trataron de confinarlo, así como las manos y los pies de Jesús fueron heridos por aquellos que lo sujetaron a la cruz.

Podríamos ir más lejos. Así como los cerdos inmundos rodeaban al endemoniado, hubo perros que rodearon a Jesús. "Porque perros me han rodeado; me ha cercado cuadrilla de malignos; horadaron mis manos y mis pies" (Salmo 22:16). "Algunos comenzaron a escupirle" (S. Marcos 14:65). Cubierto de sangre y esputos, Jesús llegó a estar sucio.

Y así como el endemoniado vivía junto a un camposanto, también Jesús fue crucificado cerca de un cementerio. "En el lugar donde había sido crucificado, había un huerto, y en el huerto un sepulcro nuevo, en el cual aún no había sido puesto ninguno" (S. Juan 19:41).

Jesús tomó nuestra debilidad para que pudiéramos tener su fuerza. Fue separado de Dios y de los seres humanos para que nosotros pudiéramos ser unidos a ellos. Tomó la humillación que nosotros merecemos y nos ofreció su gloria.

"Cristo fue tratado como nosotros merecemos a fin de que nosotros pudiésemos ser tratados como él merece. Fue condenado por nuestros pecados, en los que no había participado, a fin de que nosotros pudiésemos ser justificados por su justicia, en la cual no habíamos participado. Él sufrió la muerte nuestra, a fin de que pudiésemos recibir la vida suya. 'Por su llaga fuimos nosotros curados'". [7]

Cuando Jesús salvó y liberó al endemoniado de su miserable condición, en efecto estaba diciendo: "Pronto tomaré tu miseria sobre mí".

---

7   Elena G. de White, El Deseado de todas las gentes (Mountain View, California: Pacific Press Publishing Association, 1955), pp. 16, 17).

EL DIABLO ENGAÑOSO
SECCIÓN II

"¡Ay de los moradores de la tierra y del mar!
porque el diablo ha descendido a vosotros con gran ira,
sabiendo que tiene poco tiempo"—Apocalipsis 12:12.

Conociendo a su enemigo

Alguien ha estimado que entre el año 3600 a.C. y el tiempo actual, los seres humanos han peleado en 14.531 guerras. Durante ese mismo período, hemos tenido más de 5.300 años de guerra, en comparación de unos 290 años de paz.

Una guerra feroz se está librando entre las fuerzas del bien y del mal. Es un conflicto cósmico entre Cristo y Satanás, la luz y las tinieblas, el amor y el egoísmo. Y como ocurrió con el endemoniado, esta guerra tiene lugar en el corazón y la mente de cada alma humana. No tengo la menor duda de que usted siente que este combate se está librando en su propio corazón.

Estas escaramuzas diarias con la tentación tienen consecuencias de vida o de muerte. Para pelear esta guerra espiritual, usted y yo necesitamos armas espirituales. "Pues aunque vivimos en el mundo no militamos según el mundo. Porque las armas de nuestra milicia no son mundanas, sino poderosas en Dios para destruir fortalezas" (2 Corintios 10:3, 4, NRV 2000). Y debemos conocer a nuestro enemigo, el diablo.

Los cristianos debemos evitar dos extremos cuando consideramos la actividad satánica. Como lo expresó apropiadamente C. S. Lewis: "Hay dos errores iguales y opuestos en los que nuestra raza puede caer en cuanto a los demonios. Uno es no creer en su existencia. El otro es creer, y sentir un interés excesivo y enfermizo en ellos. Ellos se sienten igualmente complacidos por ambos errores, y aclaman a un materialista y a un hechicero con el mismo deleite".

Con este concepto de equilibrio en mente, recordemos que uno de los componentes clave para ganar una guerra es comprender el *modus operandi* de nuestro enemigo. Los entrenadores y exploradores de equipos profesionales de fútbol americano estudian cintas de vídeo de equipos opuestos para comprender mejor sus estrategias y descubrir maneras para contrarrestar sus diferentes jugadas. Similarmente, antes de una pelea por un campeonato, los boxeadores profesionales analizan y evalúan cada maniobra de su oponente.

No me propongo dar aquí una atención indebida al diablo; el mensaje principal en la Biblia es Jesucristo y cómo vivir para la gloria de Dios. Pero la Escritura registra una gran cantidad de declaraciones acerca de nuestro archienemigo. Satanás, la serpiente, aparece frecuentemente desde el Génesis hasta el Apocalipsis. De manera que, como lo dijo Mark Twain, "no podemos rendirle reverencia a [Satanás], porque eso sería imprudente; pero al menos podemos respetar sus talentos".

Así que, para comprender mejor cómo el endemoniado llegó a ser poseído por estos ejércitos de las tinieblas, es tanto prudente como provechoso para nosotros dedicar un tiempo sustancial para comprender las estratagemas mortales del diablo. A pesar de que usted quizá no disfrute esta sección ominosa tan bien como otras partes de este libro, puede tener la seguridad de que es la que Satanás más teme y que preferiría que usted descuidase.

Las legiones de demonios que tomaron posesión del hombre anónimo en nuestra historia no estaban sin un dirigente. Puede estar seguro de que Satanás no estaba de vacaciones en la Riviera francesa cuando Jesús tuvo esta confrontación con el ejército de demonios en la playa de Gadara. Y aunque no se los menciona específicamente, puede tener la certeza de que los ángeles de Dios estaban también apostados en torno a Jesús.

En otras palabras, la guerra que comenzó en el cielo continuó aquí en la tierra con las mismas fuerzas principales. Y si descorremos el velo espiritual en la playa de Gadara, podemos verla: Cristo y sus ángeles dispuestos en orden de batalla contra Satanás y sus demonios, cada uno luchando por el corazón y la vida de un loco miserable. "Porque no tenemos lucha contra sangre y carne; sino contra principados, contra potestades, contra dominadores de este mundo de tinieblas, contra malos espíritus de los aires" (Efesios 6:12, NRV 2000).

Cuando captamos esta vislumbre de lo que estaba sucediendo en el ámbito espiritual, podemos ver claramente que esta batalla es solo un microcosmo de la batalla mayor entre el bien y el mal que comenzó en el cielo.

El origen del pecado

Si usted alguna vez se encuentra perdido en el bosque, haría bien en tratar de desandar sus pasos hasta el punto donde se perdió. De la misma manera, antes de que podamos realmente entender cómo el endemoniado llegó a ser el anfitrión de una legión de demonios indeseables, necesitamos preguntarnos: "¿De dónde vino el diablo?"

¿Nuestro Dios perfecto y santo creó un diablo defectuoso y malvado? ¡Por supuesto que no! Más bien, Dios hizo un ángel espléndido y perfecto llamado Lucifer, que era la más poderosa y hermosa de las criaturas de Dios, el más encumbrado y brillante de todos los ángeles del cielo. "Tú eras el sello de la perfección, lleno de sabiduría, y acabado de hermosura" (Ezequiel 28:12). Pero debido a que Lucifer tomó una serie de decisiones perversamente egoístas, se convirtió en un diablo. Impulsado por el orgullo, escogió llegar a ser un enemigo de Dios.

Note cómo la escritura describe a Lucifer, que ahora es llamado Satanás: "¡Cómo caíste del cielo, oh Lucero, hijo del alba! Fuiste echado por tierra, tú que abatías a las naciones. Tú que decías en tu corazón: 'Subiré al cielo, en lo alto, por encima de las estrellas de Dios levantaré mí trono, en el Monte de la Reunión, al lado norte me sentaré. Sobre las altas nubes subiré, y seré semejante al Altísimo'" (Isaías 14:12-14, NRV 2000).

Lucifer permitió que su belleza, brillo intelectual y alta posición lo llenaran de arrogancia. ¡Usted incluso podría decir que la vanidad del diablo lo condujo a su locura!

Ezequiel 28:12-17 da información adicional sobre su caída: "Tú eras el sello de la perfección, lleno de sabiduría, y acabado de hermosura. En Edén, en el huerto de Dios estuviste; de toda piedra preciosa era tu vestidura... Los primores de tus tamboriles y flautas estuvieron preparados para ti en el día de tu creación. Tú, querubín grande, protector, yo te puse en el santo monte de Dios, allí estuviste; en medio de las piedras de fuego te paseabas. Perfecto eras en todos tus caminos desde el día que fuiste creado, hasta que se halló en ti maldad... Se enalteció tu corazón a causa de tu hermosura, corrompiste tu sabiduría a causa de tu esplendor". [1]

Solo podemos conjeturar sobre cuánto tiempo Lucifer sirvió a Dios voluntariamente y con gozo antes de que comenzara a acariciar en su corazón las semillas venenosas del orgullo. Tal vez fue por eones. Podría ser difícil de imaginar, pero si hubiéramos conocido a Lucifer antes de su caída, lo habríamos amado. ¡Por supuesto, algunos parecen amarlo así como es ahora!

Esto suscita naturalmente otra pregunta: ¿Cometió Dios un error? ¿Hubo un problema con las máquinas de fabricación de ángeles de modo que cuando Lucifer salió de la línea de producción, estaba destinado al fracaso en su funcionamiento?

¡De ninguna manera! Dios es perfecto y Dios es amor. Supongo que si él lo hubiese querido, podría haber hecho a todas sus criaturas unos meros robots. Pero los robots no pueden amar. Ciertamente, el amor verdadero debe otorgarse generosa y voluntariamente.

De modo que Dios se arriesgó cuando concedió la capacidad de recibir y dar amor libremente. Sus súbditos podrían terminar rechazando su amor y rebelándose contra él. Pero de cualquier manera Dios dio esta capacidad. Lo hizo por la misma razón que la mayoría de las parejas deciden tener hijos aun cuando saben que el hacerlo es un asunto arriesgado. Traen hijos al mundo a pesar de comprender que ellos podrán tomar la decisión de resistirse a su amor. Lo hacen porque, como Dios, quieren compartir su amor.

He aquí otra pregunta que a menudo levanta dudas innecesarias sobre Dios: Si él es todopoderoso, ¿por qué sencillamente no vaporizó al ángel descarriado cuando comenzó su revuelta?

---

1 La Biblia registra muchos otros detalles sobre Lucifer (ver S. Lucas 4:5, 6; 10:18; S. Juan 8:44: 2 S. Pedro 2:4; 1 S. Juan 3:8; S. Judas 6; Apocalipsis 12:7-9), pero los dos pasajes anteriormente citados son los más completos.

Dios le permitió a Lucifer realizar su rebelión por varias razones. Primero, ayudó a resolver cualquier pregunta potencial sobre el libre albedrío que Dios les dio a sus criaturas inteligentes. Ahora, nadie puede decir que Dios obliga a seres conscientes a hacer algo contra su voluntad. Son libres para elegir su propio camino.

Segundo, si Dios destruía inmediatamente a Lucifer, esto podría haber despertado, en los demás ángeles, serias dudas sobre el amor y el gobierno divino, particularmente en aquellos que podrían haberse preguntado si Satanás realmente sabía algo que Dios no les estaba diciendo a los otros ángeles. Dios, con sabiduría y amor, le está permitiendo al diablo que demuestre su posición, permitiendo con eso que todo el universo vea los terribles resultados.

Tercero, sería doloroso para un Dios amante saber que sus hijos le obedecen solo por un temor horrible de ser exterminados. Como cualquier buen padre, él quiere que sus hijos e hijas le obedezcan con un amor voluntario y con buenas razones antes que por coerción y temor.

Notablemente, a pesar de la paciencia y la bondad de Dios, Lucifer rehusó arrepentirse. En cambio, ideó una rebelión tan artera que se las ingenió para reclutar a una tercera parte de todos los ángeles para que se uniesen a su guerra malvada contra su Creador. Eventualmente, Dios expulsó del cielo a Lucifer y a sus seguidores, ahora llamados "diablos" y "demonios".

"Hubo una gran batalla en el cielo: Miguel y sus ángeles luchaban contra el dragón; y luchaban el dragón y sus ángeles; pero no prevalecieron, ni se halló ya lugar para ellos en el cielo. Y fue lanzado fuera el gran dragón, la serpiente antigua, que se llama diablo y Satanás, el cual engaña al mundo entero; fue arrojado a la tierra, y sus ángeles fueron arrojados con él" (Apocalipsis 12:7-9).

Caído pero brillante

Las mujeres famosas de Hollywood, especialmente las estrellas de películas de un perfil encumbrado, parece que son instantáneamente reconocibles en público. Nos preguntamos cómo pueden hacer las cosas comunes, como ir al supermercado, sin ser abrumadas por fanáticos demasiado celosos. La mayoría de ellas se las arreglan lo más bien. ¿Cómo? Tienen un simple truco: Cuando no usan maquillaje ni peinados modernos, la mayoría de las personas no las reconocen. El público se ha familiarizado tanto con la ilusión fascinante pero imaginaria de quiénes son estas personas, que las estrellas de la vida real pueden circular entre las multitudes sin ser detectadas.

Lucifer tiene una estrategia similar. "Satanás se disfraza como ángel de luz" (2 Corintios 11:14). Satanás se deleita cuando la gente lo representa en su aspecto dramatizado. Usted lo conoce: la criatura repulsiva, roja, con alas de murciélago, que es parte hombre y parte bestia. Le encanta ser pintado como teniendo pezuñas hendidas, orejas puntiagudas, y una cola larga y puntiaguda, y no olvide la barba de chivo o ese tridente que se supone que usa para atizar los fuegos del infierno.

Nada podría distar más de la verdad. Ciertamente, tales conceptos necios vienen de una mezcla de mitología griega y de arte medieval, y tales disparates de ninguna manera pueden encontrarse en la Escritura. Como lo muestran las citas anteriores de Isaías y Ezequiel, la Biblia describe a Satanás como un ángel brillante, altamente atractivo, con una habilidad sobrenatural para comunicarse. Cuando comprendemos que estas características se combinan con sus designios diabólicos, nos damos cuenta que debemos ser muy cautelosos.

Satanás es un enemigo de Dios que se ha autoproclamado como tal y cuyo objetivo es difamar su carácter y capturar su reino. También lo desprecia a usted y a sus amados, y tiene planes para destruirlo porque él sabe cuánto Dios lo aprecia a usted.

Esta es la razón por la cual la historia del endemoniado demuestra tan bien que nuestra única esperanza consiste en colocar nuestras vidas bajo el cuidado protector de nuestro poderoso Salvador, orando fervientemente por su dirección. Sin Cristo, somos presa fácil de los ataques interminables de Satanás, pero, como dice la Escritura, "mayor es el que está en vosotros, que el que está en el mundo" (1 S. Juan 4:4).

El abismo sin fondo

La primera vez que recorrí las famosas Cavernas de Carlsbad en Nuevo México, nuestro guía nos condujo junto a un pozo profundo que parece replegarse a una oscuridad sin fin. Se lo llama afectuosamente "el abismo sin fondo". Por supuesto, no es realmente sin fondo. En realidad, el fondo se encuentra solo a unos 50 metros de profundidad. Aparentemente, se llena tanto con basura arrojada por los transeúntes que los guardabosques tienen que descender con cuerdas hasta el fondo una vez al año para recoger los desechos.

La Biblia habla de un abismo sin fondo donde Satanás será encarcelado durante mil años. El apóstol San Juan escribió: "Vi a un ángel que descendía del cielo, con la llave del abismo, y una gran cadena en la mano. Y prendió al dragón, la serpiente antigua, que es el diablo y Satanás, y lo ató por mil años; y lo arrojó al abismo, y lo encerró, y puso su sello sobre él, para que no engañase más a las naciones, hasta que fuesen cumplidos mil años; y después de esto debe ser desatado por un poco de tiempo" (Apocalipsis 20:1-3).

Esta profecía encontrará su cumplimiento inmediatamente después de la Segunda Venida de Jesús. Habla de una suerte que hace temblar a cada demonio.

La expresión bíblica "abismo" es una transliteración de la palabra griega *abussos*. Esta palabra también aparece en la historia del endemoniado. Allí los demonios le rogaron a Jesús "que no los mandase ir al abismo" (S. Lucas 8:31).

¿Qué es, entonces, este abismo que los demonios temen? Es un símbolo. Nadie puede escapar de un abismo sin fondo. El abismo, entonces, representa la condición en que se encontrarán Lucifer y sus ángeles cuando sean atados en la tierra durante el milenio, los mil años acerca de los cuales nos habla Apocalipsis 20. Durante ese tiempo, no habrá nadie vivo en la tierra para que los demonios lo tienten. Aquellos que han aceptado la salvación de Dios habrán sido llevados al cielo, y los pecadores impenitentes habrán muerto en la segunda venida de Jesús (ver 1 Tesalonicenses 4:16, 17; Apocalipsis 19:18, 21).

Durante este extenso período, Satanás y sus secuaces estarán "encadenados en la oscuridad", atados por las circunstancias de no tener a quién tentar o manipular. La Escritura dice que Dios no usará de clemencia con los ángeles que pecaron, sino que los entregará a "prisiones de oscuridad, para ser reservados al juicio" (2 S. Pedro 2:4; comparar con S. Judas 6). No tener nada que hacer es el tormento perfecto para los demonios que trabajan en forma incesante, razón por la cual los demonios que poseían al endemoniado estaban tan perturbados. "Y clamaron diciendo: ¿Qué tienes con nosotros, Jesús, Hijo de Dios? ¿Has venido acá para atormentarnos antes de tiempo?" (S. Mateo 8:29). Estaban preocupados de que Jesús los encadenase antes de que el programa de Dios realmente lo demande, según está revelado en la Biblia.

Note también esto: La gente a menudo trata a otros en la manera que siente que ellos debieran ser tratados. Jesús dijo: "Cuando el espíritu inmundo sale del hombre, anda por lugares secos, buscando reposo" (S. Lucas 11:24). Esta "sequedad" es un símbolo de la ausencia del Espíritu de Dios, razón por la cual David dijo: "Los rebeldes habitan en tierra seca" (Salmo 68:6). Tal vez Satanás y los demonios tuvieron encadenado a este hombre porque saben que el resultado final para ellos será terminar en un lugar seco y desolado, desprovisto de Dios. "Prenderán al impío sus propias iniquidades, y retenido será con las cuerdas de su pecado" (Proverbios 5:22).

Fobia a la serpiente

Cuatro veces en solo un año, la compañía de equipos de aire acondicionado de John Fretwell, en Dallas, fue víctima de robo. De modo que Fretwell fue a la caza de serpientes en Oklahoma y trajo lo que podría ser el máximo recurso en materia de protección contra ladrones: siete serpientes cascabel.

Ahora bien, él exhibe las serpientes en la ventana de su oficina, con una señal que dice: PELIGRO: LAS SERPIENTES MUERDEN. Antes de irse a la casa por la noche, pone en libertad a las serpientes cascabel de un metro y medio para que paseen por el establecimiento. Por la mañana, armado con un palo en forma de gancho y una bolsa de arpillera, las recoge. Las siete serpientes parecen ser buenas protectoras contra los ladrones. La mayoría de las personas encuentran repulsivos y aterrorizadores a estos furtivos reptiles.

A pocas personas les gusta la idea de estudiar a las serpientes.[2] El tema podría no parecer muy atractivo; sin embargo, la Escritura hace de estos reptiles de sangre fría y sin patas un símbolo de Satanás, por lo cual nos es provechoso considerar lo que revelan acerca del diablo.

Por supuesto, sabemos que la primera vez que el diablo se comunicó con la raza humana fue por medio de una serpiente (ver Génesis 3:1). Esto naturalmente forjó una asociación permanente entre Satanás y la serpiente. En consecuencia, el símbolo se mantuvo a lo largo de la Biblia hasta Apocalipsis 20:2, donde se identifica a Satanás como el "dragón, la serpiente antigua, que es el diablo y Satanás".

Las serpientes han llegado a ser expertas para moverse en cualquier ambiente del planeta. Usted las puede encontrar en el mar, en los ríos, sobre la superficie y debajo de la tierra, y en los árboles. Aun hay unas pocas variedades que pueden realizar un corto vuelo. Satanás ha adaptado sus seducciones para tentar a cada persona en casi cualquier ambiente.

Los beneficios de comprender a las serpientes son grandes. Cuando de joven vivía en las montañas desérticas, allí abundaban las serpientes de cascabel. Un conocimiento básico sobre sus hábitos y conducta me ayudó a evitar ser mordido, a pesar de varios encuentros muy cercanos.

Quizás ésta es la razón por la que Jesús nos ordena que seamos "prudentes como serpientes, y sencillos como palomas" (S. Mateo 10:16). Para ser "prudentes como serpientes" y evitar ser mordidos, debemos comprender al menos unos pocos hechos básicos acerca de nuestro astuto enemigo.

Camuflaje y falsificaciones

La Biblia dice: "La serpiente era astuta, más que todos los animales del campo que Jehová Dios había hecho" (Génesis 3:1). Las serpientes son las máximas expertas en camuflaje. Ya sea ocultándose

---

2   Mi madre le tenía tanto miedo a las serpientes, que cuando veía una aun en la televisión saltaba y gritaba. Mi hermano y yo a veces nos aprovechábamos de su fobia y colocábamos una serpiente de goma en el cajón de su cómoda, y disfrutábamos riendo cruelmente cuando ella la descubría.

en el pasto o enrollándose en las ramas de un árbol, son maestras en confundirse con el escenario circundante a fin de no ser detectadas.

Más que eso, también son expertas en imitar a criaturas que son más peligrosas. Por ejemplo, cuando es amenazada, la inofensiva serpiente toro vibrará su cola en las hojas secas para imitar el sonido de su prima venenosa, la serpiente cascabel.

Para cada creación buena de Dios, aun el amor, Satanás tiene una falsificación convincente. Por ejemplo, en la historia del Éxodo, los magos de Faraón pudieron falsificar frecuentemente el poder y los milagros de Dios (Éxodo 7:10-12). De la misma manera, Satanás es más peligroso y efectivo cuando está imitando los milagros y los mensajeros de Dios. La Escritura advierte en cuanto a "espíritus de demonios, que hacen señales" (Apocalipsis 16:14).

Lo que complica el trabajo de Dios es la propensión de Satanás a engañar. A diferencia de Dios, que trabaja solo dentro de los confines de la verdad y el respeto, Satanás cocinará un guiso de verdad y mentiras en cualquier combinación que funcione mejor para destruir las vidas de aquellos a quienes busca manipular.

Esto es especialmente alarmante para la iglesia de Dios, porque el diablo parece ser más letal cuando se disfraza como un ser espiritual que trabaja dentro de la iglesia. Jesús advirtió: "Guardaos de los falsos profetas, que vienen a vosotros con vestidos de ovejas, pero por dentro son lobos rapaces" (S. Mateo 7:15). Satanás conoce la Biblia cabalmente y cita al instante pasajes de ella en forma correcta y en forma equivocada para lograr sus fines (ver, por ejemplo, San Mateo 4).

La espada y la serpiente

Puesto que Satanás usa aun la Biblia en sus intentos para entramparnos, obviamente, nuestra única protección radica en conocer la Palabra de Dios, en atesorar sus verdades en lo profundo de nuestra mente. David dijo: "En mi corazón he guardado tus dichos, para no pecar contra ti" (Salmo 119:11). El Nuevo Testamento dice: "La palabra de Dios es viva y eficaz, y más cortante que toda espada de dos filos" (Hebreos 4:12). Jesús usó esta espada para pelear contra el diablo cuando fue tentado en el desierto, y todavía se la necesita hoy y está a nuestra disposición.

Satanás formuló la primera pregunta que encontramos en la Escritura. La hizo en un intento de desacreditar la Palabra de Dios: "¿Conque Dios os ha dicho...?" (Génesis 3:1). Desde esa primera pregunta insidiosa hasta el presente, Satanás siempre ha estado tratando de minar la fe de los hijos de Dios arrojando sospechas sobre la Palabra de Dios. El pecado, el sufrimiento y la muerte entraron en el mundo cuando Satanás tuvo éxito en inducir a nuestros primeros padres a dudar de la verdad de Dios y no creer en ella. La táctica de guerra primordial del diablo sigue siendo plantar semillas de escepticismo respecto a la confiabilidad de la Escritura.

Esto es exactamente lo que Jesús enfrentó cuando, hambriento y tentado, combatió contra el archienemigo en el desierto. Pero él desvió cada asalto con la Escritura. Se vistió "de toda la armadura de Dios", y por lo tanto pudo "estar [firme]... contra las asechanzas del diablo" (Efesios 6:11). Pablo continúa este pensamiento aconsejando a tomar "la espada del Espíritu, que es la palabra de Dios" (vers. 17).

Ciertamente, la serpiente tiembla cuando el pueblo de Dios empuña la espada viviente de la Palabra divina y la dirige contra ella. Los hijos de Dios reciben la victoria cuando claman y creen en las promesas poderosas de la Palabra, "para que por ellas lleguemos a participar de la naturaleza divina, y nos libremos de la corrupción que está en el mundo por causa de los malos deseos" (2 S. Pedro 1:4, NRV 2000).

Cada serpiente puede ser vencida

Alguien dijo con ingenio: "Adán le echó la culpa a Eva, Eva le echó la culpa a la serpiente, y la serpiente no tuvo sobre qué pararse". El relato de esa primera tentación en este planeta se concentra en la serpiente y en Eva. Correspondientemente, encontramos que la primera profecía describe una batalla constante entre la mujer —que en última instancia representa a la iglesia de Dios— y la serpiente (ver Génesis 3:14, 15). Esta profecía promete la victoria final de la simiente de la mujer, el Salvador venidero, que mataría a la serpiente. En el versículo 15, Dios, hablando a la serpiente, dice: "Y pondré enemistad entre ti y la mujer, y entre tu simiente y la simiente suya; ésta te herirá en la cabeza, y tú le herirás en el calcañar".

Note que la serpiente muerde el calcañar o talón de la simiente de la mujer, no uno de los dedos del pie. El talón es la parte posterior del pie, la parte más baja del cuerpo. Satanás nos alcanza desde atrás, cuando estamos en nuestro punto más bajo. Vino a tentar a Jesús cuando él estaba débil y cansado después de cuarenta días de ayuno.

Las buenas nuevas son que Satanás solo logra herir el talón de Cristo y de la iglesia, la que rengueando continúa adelante, a pesar de la herida. Por otra parte, la serpiente recibe una herida mortal en la cabeza, lo que asegura la victoria final de Jesús sobre el diablo.

Cuando el Señor comisionó a Moisés que regresase a Egipto y condujese a su pueblo a la libertad, le dio una señal extraña. Dios le dijo que tomara su vara de pastor y la echase "en tierra. Y él la echó en tierra, y se hizo una culebra; y Moisés huía de ella. Entonces dijo Jehová a Moisés: Extiende tu mano, y tómala por la cola. Y él extendió su mano, y la tomó, y se volvió vara en su mano" (Éxodo 4:3, 4).

En la Biblia, una vara es un símbolo de poder y protección (ver Apocalipsis 12:5; Salmo 23:4). El cambio de la vara de Moisés en una serpiente le indicó a Moisés que Dios lo protegería y le daría poder sobre las fuerzas del maligno cuando se aventurase a ir al nido de serpientes del palacio de Faraón. Dios ha prometido este mismo poder a todos sus hijos que procuran trabajar con Jesús para liberar a otros de la esclavitud de Satanás. Jesús confirmó esto: "He aquí os doy potestad de hollar serpientes y escorpiones, y sobre toda fuerza del enemigo, y nada os dañará" (S. Lucas 10:19). ¡Veremos más sobre este tema en la siguiente sección!

Serpientes voladoras

Docenas de culturas tienen leyendas y tradiciones sobre serpientes voladoras o dragones. Pueden verse en todo el mundo en esculturas y obras de arte antiguas. Las fábulas a menudo tienen sus raíces en algún elemento de verdad. Por ejemplo, hay una serpiente en los bosques tropicales muy densos que puede saltar desde un árbol, aplastar su caja torácica y planear una corta distancia, algo como lo que hace una ardilla voladora.

Además de este ejemplo moderno, muchos comentadores bíblicos creen que en un tiempo las serpientes tenían alas y podían volar.

El registro fósil está lleno de ejemplos de reptiles voladores, como el terodáctilo que vivió antes del Diluvio. Más aún, la Biblia misma alude a la existencia de serpientes voladoras. Una profecía dice: "Una víbora saldrá de la raíz de la serpiente; su fruto será una serpiente voladora" (Isaías 14:29, NVI). Génesis 3:14 explica por qué no vemos actualmente serpientes voladoras de este tipo: "Y Jehová Dios dijo a la serpiente: Por cuanto esto hiciste, maldita serás entre todas las bestias y entre todos los animales del campo; sobre tu pecho andarás, y polvo comerás todos los días de tu vida".

Si parte del castigo de la serpiente por tentar a Eva fue que desde entonces debe andar sobre su vientre, es claro que antes de la maldición, se impulsaba diferentemente. Se llama a Satanás el "príncipe de la potestad del aire" (Efesios 2:2). Así como la maldición puso en tierra a la serpiente, las alas del mismo Lucifer fueron cortadas cuando fue arrojado a la tierra (ver Apocalipsis 12).

Más aún, debido a que las serpientes no dependen de la energía procedente del alimento para generar el calor del cuerpo, pueden sobrevivir en base a una dieta extremadamente magra. Algunas esperan meses entre una comida y otra, y unas pocas sobreviven comiendo una sola comida abundante apenas una o dos veces al año. En forma semejante, Satanás ha perfeccionado el arte de esperar pacientemente que su presa relaje la guardia de modo que pueda devorarla.

No es sabio jugar con las serpientes

Un joven en Orlando, Florida, casi fue muerto por su propia anaconda que tenía en su casa. Había tenido la serpiente durante muchos años y siempre se había sentido tranquilo permitiendo que la criatura se enrollase alrededor de sus brazos y cuello. De alguna manera, sin embargo, no había notado que lo que en un tiempo había sido una novedad manejable de 1,80 m de largo se había convertido en un monstruo de casi cinco metros.

Cierto día, mientras este joven estaba demostrando a sus amigos la confianza que tenía en su animal doméstico, la serpiente constrictora comenzó a apretar su cuello y su pecho. Después de una lucha desesperada, los amigos del hombre y su madre provista de un cuchillo pudieron forzar a la criatura a soltar su presa. El joven apenas sobrevivió.

Algunas personas se han convencido a sí mismas que es seguro comunicarse con Satanás o aun debatir con el diablo. Sin embargo, la suerte de Eva cuando cayó en las manos del enemigo ilustra muy bien que ése es un gran error. Nunca deberíamos jugar con la tentación; aun el "más pequeño" de los pecados puede ser mortal.[3]

Cuando dependemos de nuestra propia sabiduría, en absoluto podemos hacerle frente al genio maligno de la gran serpiente. Pero mediante Cristo, podemos pisotear la cabeza de esta serpiente siniestra. Jesús estaba hablando de este poder sobre el maligno cuando dijo: "Estas señales seguirán a los que creen: En mi nombre... tomarán en las manos serpientes" (S. Marcos 16:17, 18).

Algunos pastores engañados han interpretado este pasaje para significar que los cristianos debieran actuar como encantadores de serpientes, que debieran probar su fe manipulando serpientes cascabeles u otras serpientes venenosas. Por razones obvias, la feligresía en esas congregaciones siempre ha permanecido pequeña. El relato del Nuevo Testamento del naufragio de Pablo revela cómo entender este pasaje correctamente: "Los nativos nos trataron con singular humanidad. Encendieron un fuego, a causa de la lluvia que caía y del frío, y nos recibieron a todos. Cuando Pablo juntaba algunas ramas secas, para echarlas al fuego, una víbora, huyendo del calor, se prendió de su mano. Cuando los nativos vieron la víbora colgada de su mano, decían unos a otros: 'Este hombre de cierto es homicida. Escapó del mar, pero la justicia no le deja vivir'. Pero él sacudió la víbora en el fuego, y ningún mal padeció. Ellos esperaban verlo hincharse, o caer muerto de repente. Pero habiendo esperado mucho, y viendo que nin-

---

3   ¡Una serpiente cascabel de solo dos minutos de vida puede atacar en forma efectiva! Durante un picnic, una niña de dos años descubrió un nido de serpientes cascabel. La niña, libre de todo recelo, comenzó a jugar con lo que pensó que eran hermosos gusanos. Fue mordida repetidamente y no sobrevivió. En forma semejante, algunas personas sienten que los pecados pequeños son inofensivos, pero en última instancia demuestran ser fatales más a menudo que las transgresiones "grandes", más obvias.

gún mal le venía, cambiaron de parecer, y dijeron que era un dios" (Hechos 28:1-6, NRV 2000).

Como Dios salvó a Pablo del veneno de esa serpiente, nos salvará a nosotros del veneno del pecado. "Aplastarás al león y a la víbora; ¡hollarás fieras y serpientes!" (Salmo 91:13, NVI). Sin embargo, nunca debemos buscar deliberadamente las serpientes para coquetear con el desastre. Eso sería tentar al Señor (ver S. Mateo 4:7).

La serpiente en un palo

Uno de los versículos mejor conocidos, amados y memorizados de la Biblia es el de San Juan 3:16, que dice: "Porque de tal manera amó Dios al mundo, que ha dado a su Hijo unigénito, para que todo aquel que en él cree, no se pierda, mas tenga vida eterna". Pero si usted fuera a pedirle a la gente –aun a cristianos— que cite los dos versículos que preceden a éste, ¡me aventuraría a decir que ni siquiera uno en cincuenta podría hacerlo! Sin embargo, el versículo 16 es en realidad la continuación de un pensamiento iniciado antes. Aquí están los versículos cuando los leemos juntos: "Como Moisés levantó la serpiente en el desierto, así es necesario que el Hijo del Hombre sea levantado, para que todo aquel que en él cree, no se pierda, mas tenga vida eterna. Porque de tal manera amó Dios al mundo, que ha dado a su Hijo unigénito, para que todo aquel que en él cree, no se pierda, mas tenga vida eterna" (S. Juan 3:14-16).

Es interesante considerar que justo antes de San Juan 3:16 leemos acerca de la serpiente. En realidad, estos tres versículos unidos encierran todo el gran conflicto entre la serpiente y nuestro Señor. Demos una mirada a la historia del Antiguo Testamento a la que Jesús estaba aludiendo en el evangelio de San Juan: "Y habló el pueblo contra Dios y contra Moisés: ¿Por qué nos hiciste subir de Egipto para que muramos en este desierto? Pues no hay pan ni agua, y nuestra alma tiene fastidio de este pan tan liviano. Y Jehová envió entre el pueblo serpientes ardientes, que mordían al pueblo; y murió mucho pueblo de Israel" (Números 21:5, 6).

Recuerde que el pecado entró en el mundo cuando la serpiente tuvo éxito al tentar a nuestros primeros padres para que dudasen de la palabra de Dios. En esta historia, después que los hijos de Israel rechazaron el pan de Dios (un símbolo de Jesús y de la Palabra), las serpientes los mordieron.[4] Sigamos leyendo: "Entonces el pueblo vino a Moisés y dijo: Hemos pecado por haber hablado contra Jehová, y contra ti; ruega a Jehová que quite de nosotros estas serpientes. Y Moisés oró por el pueblo. Y Jehová dijo a Moisés: Hazte una serpiente ardiente, y ponla sobre una asta; y cualquiera que fuere mordido y mirare a ella, vivirá. Y Moisés hizo una serpiente de bronce, y la puso sobre una asta; y cuando alguna serpiente mordía a alguno, miraba a la serpiente de bronce, y vivía (Números 21:7-9).

Para una nación de pastores de ganado, esta serpiente levantada en un poste servía como un símbolo vigoroso que cada uno de ellos entendía bien. Las serpientes son una amenaza mortal para las ovejas y las cabras. Podría ser que un perro sobreviviese a la mordedura de una serpiente cascabel sin la posibilidad de ningún tratamiento especializado, pero las ovejas y las cabras son mucho más frágiles. Esta es una de las razones por la que los pastores deben llevar una vara.[5] Por lo tanto, para los judíos, una serpiente en un palo simbolizaba vívidamente a una serpiente derrotada. Además de esto, sin embargo, el símbolo tenía un significado profético mucho más rico.

"Todos los que hayan existido alguna vez en la tierra han sentido la mordedura mortal de la 'serpiente antigua, que se llama diablo y Satanás' (Apocalipsis 12:9). Los efectos fatales del pecado pueden eliminarse tan solo mediante lo provisto por Dios. Los israelitas salvaban su vida mirando la serpiente levantada en el desierto. Aquella mirada implicaba fe. Vivían porque creían la palabra de Dios, y confiaban en los medios provistos para su restablecimiento. Así también

---

4   Puesto que la repetición puede ser útil, repetiré aquí que es la Palabra de Dios lo que hace que la gente se abstenga de pecar (ver Salmo 119:11).

5   Cuando vivía en el desierto, llevaba una vara contra serpientes que servía a un par de propósitos. Si encontraba un intruso venenoso en mi caverna, le "hería su cabeza" con un golpe. Pero una serpiente mortalmente herida podía continuar revolviéndose y retorciéndose por horas, y todavía tenía la capacidad de atacar. De modo que en vez de arriesgarme a tomarla con mis manos desnudas, la levantaba con la vara para sacarla lejos de donde vivía.

puede el pecador mirar a Cristo, y vivir. Recibe el perdón por medio de la fe en el sacrificio expiatorio. En contraste con el símbolo inerte e inanimado, Cristo tiene poder y virtud en sí para curar al pecador arrepentido".[6]

En síntesis, como dijo Jesús: "Y yo, si fuere levantado de la tierra, a todos atraeré a mí mismo" (S. Juan 12:32). Un libro muy amado y bien respetado sobre la vida de Cristo dice: "El pueblo sabía muy bien que en sí misma la serpiente no tenía poder de ayudarle. Era un símbolo de Cristo. Así como la imagen de la serpiente destructora fue alzada para sanar al pueblo, un ser 'en semejanza de carne de pecado' (Romanos 8:3) iba a ser el Redentor de la humanidad".[7]

Como dice San Juan 12:32, cuando miramos a Jesús en la cruz somos atraídos a él por su amor hacia nosotros. Cuando con fe contemplamos el sacrificio de nuestro Redentor por nosotros, somos salvados de la picadura de la serpiente y el poder de su veneno es neutralizado, precisamente como afirma la historia de los judíos.

Note que en esta historia bíblica, Dios no sacó las serpientes. En cambio, proveyó el remedio. Mientras estemos en este mundo, siempre tendremos que contender con el diablo. Sin embargo, en la sangre de Jesús ¡Dios nos ha provisto un contraveneno en abundancia para que nos salve de la mordedura de la serpiente! Cuando Jesús estaba en la cruz, aunque esa antigua serpiente, el diablo, hirió dolorosamente su "talón", él aplastó mortalmente la cabeza de la serpiente, golpeándola con la vara de Isaí (ver Isaías 11:1).

En el Museo Topkapi, en Estambul, Turquía, una copa muy preciosa está colocada en un lugar prominente. Una serpiente de oro está suspendida en el mismo centro de la copa. Se halla decorada con ojos de rubíes y colmillos de diamante; su boca está abierta y parece como que está lista para atacar. Cuando la copa se llena de vino, el líquido

6   Elena G. de White, *Patriarcas y profetas* (Mountain View, California: Pacific Press Publishing Association, 1955), p. 458.

7   Elena G. de White, *El Deseado de todas las gentes* (Mountain View, California: Pacific Press Publishing Association, 1955), p. 146.

rojo oculta la serpiente; pero cuando el vino se bebe, la serpiente, con su aspecto amenazante, se revela.

Cuando Jesús vino a morir por nosotros, rehuyó el pensamiento de llevar nuestro pecado y de experimentar la separación del Padre que esto acarrearía. Es por esto que oró: "Padre mío, si es posible, pase de mí esta copa; pero no sea como yo quiero, sino como tú" (S. Mateo 26:39). Luego, humillándose a sí mismo, Jesús bebió la copa del pecado hasta las heces. Y mientras estuvo levantado en la cruz, la serpiente, que había estado disfrutando cada latigazo e insulto que Jesús sufrió, atacó con toda su venganza diabólica.

Sin embargo, Jesús lo soportó todo.

"Dijes" o amuletos

Todas las serpientes son criaturas de sangre fría que dependen de fuentes externas para el calor y el frío. Tienen también "sangre fría" hacia su descendencia. Después que las serpientes bebés nacen o salen del cascarón, los padres generalmente las abandonan. En algunos casos hasta las devoran. Satanás tiene aproximadamente el mismo nivel de calor, compasión y lealtad hacia aquellos que le sirven. Es la síntesis despiadada y cruel del mal.

La serpiente de bronce que Moisés fundió y elevó en un palo de algún modo pudo sobrevivir todo el peregrinaje y las batallas de los israelitas por más de setecientos años. La mayoría de las naciones paganas circunvecinas adoraban a serpientes como diosas de fertilidad y poder místico, y con el tiempo, los israelitas comenzaron a imitar a sus vecinos. Pronto estaban tratando la reliquia de bronce que representaba el perdón de Dios como una deidad en sí misma (ver 2 Reyes 18:3, 4).

Como estos antiguos israelitas, millones de almas alrededor del mundo hoy día están adorando inadvertidamente a la serpiente mientras piensan que están adorando al Señor. Lenta, inconscientemente, se están dejando seducir por una idolatría rastrera. Más aún, muchos cristianos han adoptado tristemente esta misma práctica, tratando el símbolo de la cruz en forma muy semejante a como los antiguos judíos consideraron a la serpiente de bronce.

Sin embargo, así como los israelitas no debían adorar a la serpiente en el palo, nosotros no debemos inclinarnos u orar ante una cruz. Tampoco se nos ordena que hagamos la señal de la cruz sobre nuestra persona. Ciertamente, ¡no hay un poder o una virtud mística en esta imagen de un antiguo implemento de tortura! "Jesús dijo a sus discípulos: Si alguno quiere venir en pos de mí, niéguese a sí mismo, y tome su cruz, y sígame" (S. Mateo 16:24). Él estaba ordenando a sus seguidores a *llevar* la cruz, no a *usar* la cruz en su vestuario. El libro de Apocalipsis dice que somos salvos no por la cruz sino por la sangre de Jesús. Lo que Pablo y los apóstoles exaltaron fue la cruz como un recordativo del amor y el sacrificio de Jesús, no el repugnante instrumento de tortura en sí. "Se humilló a sí mismo, haciéndose obediente hasta la muerte, y muerte de cruz" (Filipenses 2:8).

Por lo tanto, aquello en lo que los cristianos debieran concentrarse es en la redención provista en la cruz. Hebreos 12:2 lo dice perfectamente: "Fijemos la mirada en Jesús, el iniciador y perfeccionador de nuestra fe, quien por el gozo que le esperaba, soportó la cruz, menospreciando la vergüenza que ella significaba" (Hebreos 12:2, NVI).

La muerte del diablo

Un diario en Texas informó que un taxidermista fue mordido por una serpiente de cascabel congelada. Robert Herndon compra serpientes venenosas, las mata congelándolas, y vende los restos que han sido preservados. Generalmente les cubre la boca con una cinta antes de empezar a abrirlas con un cuchillo, pero esta vez aparentemente dejó de hacerlo. Por lo tanto, nuevamente resultó cierta la advertencia: "Nunca suponga que una serpiente venenosa está muerta".

Algunas personas se han preguntado: "Si Jesús derrotó a Satanás en la crucifixión, ¿por qué todavía vemos y sentimos tanta evidencia de su actividad maligna?"

El diablo sabe que fue derrotado en la cruz, pero también está completamente enloquecido de orgullo e ira. De modo que a fin de poder infligir a Dios tanta aflicción como sea posible, continúa peleando tenazmente, queriendo derribar consigo a tantos como sea posible. "El diablo ha descendido a vosotros con gran ira, sabiendo que tiene poco tiempo" (Apocalipsis 12:12). Satanás se mueve ahora salvajemente en sus últimos estertores de muerte, atacando [como una víbora] a cualquiera que todavía esté a su alcance.

Cuando Viernes, el criado de Robinson Crusoe, le preguntó por qué Dios no hizo algo con el diablo, Crusoe le dio la respuesta correcta. Le dijo: "Dios lo destruirá". La Biblia promete que Satanás finalmente será destruido por su rebelión mortal.

En la historia del endemoniado, los cerdos llenos de demonios se ahogaron en el lago. La Biblia promete que, por último, Satanás y sus ángeles encontrarán una suerte similar. Serán lanzados al lago de fuego. "Y el diablo que los engañaba fue lanzado en el lago de fuego y azufre" (Apocalipsis 20:10). En una profecía sobre el fin del diablo, Ezequiel escribió: "Te arrojé por tierra, y delante de los reyes te expuse al ridículo. Has profanado tus santuarios, por la gran cantidad de tus pecados, ¡por tu comercio corrupto! Por eso hice salir de ti un fuego que te devorará. A la vista de todos los que te admiran te eché por tierra y te reduje a cenizas. Al verte, han quedado espantadas todas las naciones que te conocen. Has llegado a un final terrible, y ya no volverás a existir" (Ezequiel 28:17-19, NVI).[8]

Esta condenación terrible también es cierta para aquellos aquí en la tierra que siguen al diablo. "Entonces [Cristo] dirá también a los de la izquierda: Apartaos de mí, malditos, al fuego eterno preparado para el diablo y sus ángeles" (S. Mateo 25:41).

Un terrorista enemigo ha secuestrado este planeta. Pero Jesús vino a pagar el rescate y destruir al architerrorista. "Para esto apareció el Hijo de Dios, para deshacer las obras del diablo" (1 S. Juan 3:8). Con palabras diferentes, San Mateo 23:33 repite esta declaración: "¡Serpientes, generación de víboras! ¿Cómo escaparéis de la condenación del infierno?"

Las buenas nuevas son que en el cielo no necesitaremos caminar más con temor. Isaías 11:8, 9 describe un paraíso sin las dañinas serpientes, o demonios: "El niño de pecho jugará sobre la cueva del

---

8   Isaías 14:15 también predice en cuanto al diablo: "Mas tú derribado eres hasta el Seol, a los lados del abismo".

áspid, y el recién destetado extenderá su mano sobre la caverna de la víbora. No harán mal ni dañarán en todo mi santo monte; porque la tierra será llena del conocimiento de Jehová, como las aguas cubren el mar".

Un león con un plan

Cada año, Butte, Montana, es la ciudad anfitriona de una asombrosa competencia de esculpir en hielo. A cada artista se le da un gran trozo de hielo sólido. Cuando los escultores comienzan a cincelar su bloque nuevo de agua congelada, tienen en sus mentes un anteproyecto de cómo será la obra final. Uno podrá elegir cincelar un dragón, otro podrá esculpir un ángel, pero todos ellos tienen un plan final en mente.

La Biblia no se satisface con identificar a Satanás con una serpiente; también compara sus tácticas a las de un león. "Sed sobrios, y velad; porque vuestro adversario el diablo, como león rugiente, anda alrededor buscando a quien devorar" (1 S. Pedro 5:8).

Los leones usan astucia y distracciones para capturar a su presa. Al igual que el diablo, se lanzan repentina e inesperadamente sobre sus víctimas y no les preocupa en absoluto el sufrimiento de su presa. Y los leones siempre parecen tener un plan para derribar sus blancos en la manera más rápida posible.

La mayoría de las personas reconocen que Dios tiene un plan para sus vidas, pero frecuentemente me encuentro con miradas turbadas y perplejas cuando pregunto: "¿Sabe usted que el diablo tiene un plan para su vida?" Esto es verdad. Y lo horroroso de esto es que ¡el plan último del diablo para usted es el mismo que tuvo para el endemoniado!

Hasta tanto sea posible, el diablo quiere borrar la imagen de Dios de la mente de su presa usando cualquier medio posible, incluso disfrazándose a sí mismo. En forma insensata y antibíblica, muchos suponen que Satanás se aparecerá abiertamente como enemigo de Dios en el tiempo del fin, pero esto está lejos de la realidad. Aunque Satanás es ciertamente el enemigo más acérrimo de Dios, él simulará ser justo (ver S. Mateo 24:24). Aparecerá como un ser glorioso, angélico, y procurará la adoración de las masas (ver 2 Corintios 11:13-15; Apocalipsis 13:12, 13).

La Escritura es clara de que su apariencia piadosa será tan convincente de que virtualmente "todo el mundo" se maravillará en pos de la bestia (Apocalipsis 13:3). Aun los hijos de Dios son casi engañados (ver S. Mateo 24:24). Nosotros podemos resistir con seguridad a Satanás ¡solo dándole primero nuestros corazones a Dios y confiando completamente en su Palabra! "Someteos, pues, a Dios; resistid al diablo, y huirá de vosotros. Acercaos a Dios, y él se acercará a vosotros" (Santiago 4:7, 8).

La increíble liberación del endemoniado realza los dos grandes planes para la vida de cada persona. Es una exhibición vívida de lo que Dios ha planeado para la humanidad y de lo que el diablo haría a las criaturas de Dios.

Jesús revela la imagen perfecta de Dios; el lunático, la de Lucifer. Y cada día, poco a poco, estamos siendo transformados a la imagen del amo a quien decidimos seguir. La forma en que decidimos responder a las pruebas y tentaciones que llegan cada día determina nuestra elección. Pero debemos recordar que Jesús es por lejos un amo más fuerte; podemos depender de él para la victoria. "No con ejército, ni con fuerza, sino con mi Espíritu, ha dicho Jehová de los ejércitos" (Zacarías 4:6).

La mayoría de las personas jamás sería tan insensata como para pelear contra un león adulto con sus manos desnudas. Pero Sansón y David pudieron matar a leones cuando el Espíritu de Dios vino sobre ellos. Es solo por el poder de Dios que podemos resistir al diablo. Salmo 91:13, NVI, declara: "Aplastarás al león y a la víbora; ¡hollarás fieras y serpientes!"

Un contraste cósmico

Justo antes de que suene la primera campana de un encuentro de box, los boxeadores generalmente están en medio del cuadrilátero mientras el árbitro repasa con ellos las reglas del combate. La tensión es a menudo eléctrica mientras la audiencia observa a los oponentes frente a frente, mirándose el uno al otro. A veces uno de ellos lanza miradas llenas de ira o hace resplandecer una sonrisa sarcástica, mientras que otros exudan una confianza serena y consciente.

La historia del endemoniado es la historia de una pelea grande. En el escenario del tiempo del fin, es justamente antes del "principal evento". Los principales peleadores han peleado antes, durante una guerra en el cielo. Esta es una revancha cósmica en un cuadrilátero, aislado, junto a la playa, en la tierra.

En un rincón vemos a Jesús, el Príncipe de luz, el perfecto reflejo del Padre. El plan de Dios para cada alma es reflejar a Jesús; es por eso que él se convirtió en un hombre. En el otro rincón, tenemos al furioso endemoniado, el plan último del diablo para cada alma. Es una escena asombrosa, y si pudiéramos escrutar detrás del velo espiritual, veríamos a una audiencia de ángeles —algunos caídos, otros santos— vitoreando a sus respectivos líderes.

Sorprendentemente, este es el único lugar donde la Biblia describe a Jesús envuelto en alguna forma de conversación con los demonios. Lo hizo para ayudarnos a comprender el tremendo significado de esta experiencia. Los ejércitos del cielo y del infierno estaban dispuestos en orden de batalla el uno contra el otro en esa playa, peleando por el alma de ese hombre desesperado. Y Jesús se propuso que nosotros viéramos a estos dos bandos compitiendo cada día por su alma, porque necesitamos ver cuán diferentes son en realidad.

Para mirar esto desde una perspectiva levemente distinta, la fotografía que gana premios es una combinación de encuadre, foco, composición, luz y un momento perfecto. La historia del endemoniado es la fotografía final; la Escritura no presenta un contraste mayor.

Jesús es la suma total de todo lo bueno; está lleno de Dios. "En él habita corporalmente toda la plenitud de la Deidad" (Colosenses 2:9). En contraste, el endemoniado era la síntesis de lo malo; ¡estaba lleno de demonios! [9] En realidad, eran tantos que en ningún otro caso de la

---

9   Durante toda la historia de Roma, el número de soldados en una legión variaba entre 4.500 y 6.000. A veces había más. El comentador bíblico Matthew Henry dijo: "¡Qué multitud de espíritus caídos debe haber, y todos enemigos de Dios y del hombre, cuando había una legión en una pobre criatura miserable!"

Biblia se menciona a alguien que haya estado poseído por un número siquiera cercano a esta cantidad de demonios.

Encarnación es nuestro término para significar que Dios llega a ser un hombre en la persona de Jesús. El endemoniado es el ser que vemos en la Biblia que más se aproxima a la encarnación de Satanás. ¡De modo que en esta historia tenemos una foto aislada y momentánea de Dios convirtiéndose en un hombre para salvar a un hombre que había llegado a ser un demonio!

También puede decirse que estos dos dirigentes representan los árboles en el Jardín del Edén. Jesús era el árbol de vida, y el diablo, en la forma del endemoniado, era el árbol de la muerte. Estos dos árboles producen dos tipos diferentes de fruto. Al comer del árbol de Jesús, llenamos nuestras vidas con el plan de Dios y adoptamos la mente de Jesús. Caminamos en sus pasos, hacemos sus buenas obras, y disfrutamos "el fruto del Espíritu [que es] amor, gozo, paz, paciencia, benignidad, bondad, fe, mansedumbre, templanza" (Gálatas 5:22, 23; ver también Filipenses 2:5; S. Juan 20:21; 1 S. Pedro 2:21; 1 S. Juan 2:6).

Pero al comer del árbol del diablo, somos llenos de "adulterio, fornicación, inmundicia, lascivia, idolatría, hechicerías, enemistades, pleitos, celos, iras, contiendas, disensiones, herejías, envidias, homicidios, borracheras, orgías, y cosas semejantes a estas; acerca de las cuales os amonesto, como ya os lo he dicho antes, que los que practican tales cosas no heredarán el reino de Dios" (Gálatas 5:19-21). El loco demostró perfectamente este plan destructivo del diablo.

¿Qué peleador usted apoyará? ¿Qué cuadro desea mirar? ¿De qué árbol comerá? Si elegimos el correcto, se nos promete que hablaremos con Dios cara a cara y lo veremos directamente en su rostro.

El pecado del diablo es nuestro propio pecado

Un hombre viajó desde el pueblo de Grand Forks, Dakota del Norte, a Fargo para robar el *First Community Bank*. Garrapateó una nota demandando dinero y se la dio a la cajera del banco. Asustada, le dio al hombre lo que pidió y lo observó cómo escapaba por la puerta. La búsqueda policial por la zona circunvecina no dio resultado. Pero al examinar la nota del ladrón, ¡la policía descubrió que había escrito la nota en su propia papeleta para hacer depósitos en el banco, la que por supuesto tenía su nombre y dirección! La policía arrestó al ladrón en el porche de su casa.

El pecado nos hace hacer cosas alocadas y, reconozcámoslo, también algunas cosas muy tontas. Cierta vez vi una etiqueta engomada en el paragolpes de un vehículo: "La locura es hereditaria; usted la recibe de sus hijos". En realidad, todos nacemos con las semillas de la locura. Una vez se me dijo que la gente en los hospitales psiquiátricos usan las palabras *yo, mi, mío* y *yo mismo* diez veces más frecuentemente que aquellos que son considerados sanos. Ésta es una ilustración práctica de que el egoísmo y el pecado engendran la locura. Tanto es así que la Biblia también nos enseña en cuanto al único antídoto: "El principio de la sabiduría es el temor de Jehová; buen entendimiento tienen todos los que practican sus mandamientos" (Salmo 111:10).

Es muy improbable que este endemoniado haya nacido en la condición depravada en que lo encontramos, de modo que naturalmente tenemos que preguntarnos: "¿Cómo este hombre llegó a esta situación?" La historia del rey Nabucodonosor, registrada en Daniel 5, contiene una clave para ello. Orgullo y sensualidad desenfrenados condujeron al monarca babilónico a un estado de locura animal.

El orgullo, por supuesto, fue el pecado que condujo a la caída del diablo. Es una actitud que acompaña a casi todo otro pecado también. Lo encontramos también en la historia del rey Saúl. Finalmente lo condujo a una depresión demoníaca obsesiva.

El Estado de Illinois obtiene su nombre de una palabra nativa que significa "tribu de hombres superiores". No creo que los actuales residentes de ese Estado se jactan corrientemente de ser superiores, pero a través de la historia muchos se han considerado superiores a otros. Uno de los peores ejemplos, por supuesto, viene de la Alemania nazi, donde Hitler enseñó que los alemanes arios y los pueblos con ellos relacionados eran una raza superior. He aquí un ejemplo en el cual el espíritu de orgullo condujo a toda una nación a un pecado semejante al de las bestias.

La Biblia nos insta a no pensar de nosotros más altamente de lo que debemos. También nos pide que honremos a otros por encima de nosotros mismos (ver Romanos 12:10). "Antes del quebrantamiento es la soberbia, y antes de la caída la altivez de espíritu. Mejor es humillar el espíritu con los humildes que repartir despojos con los soberbios" (Proverbios 16:18, 19).

El diablo no es impersonal, como una estatua. Más bien, es la antítesis apasionada de todo lo que es Dios. Mientras Jesús es manso y humilde, el orgullo ha impulsado a Satanás a la ira. Mientras Dios es amor abnegado, el diablo es egoísmo puro. Jesús es el camino, la verdad y la vida; el diablo es un mentiroso, y su camino conduce a la muerte. Es por esto que sus acciones son todo lo que Dios jamás haría, y por ello recurre a algunas trampas malintencionadas.

Ciertamente, usted podrá haber oído la historia del abogado inescrupuloso que le preguntó al acusado en un tribunal: "¿Ha dejado usted de golpear a su mujer?" No importa cómo responda el acusado, dará la impresión de ser culpable. Similarmente, Satanás es un maestro en atribuir al Señor sus propias características enfermas. Cuando golpea un desastre natural, las compañías de seguros lo llaman un "acto de Dios". Pero el libro de Job enseña que Satanás tiene el poder de causar desastres naturales.

En los casos peores, cuando la gente ve sufrir a niños inocentes, reacciona sacudiendo sus puños hacia Dios y llamándolo un sadista. Los demonios en nuestra historia reaccionaron de esa manera. Dijeron: "¿Qué tienes conmigo, Jesús, Hijo del Dios Altísimo? Te conjuro por Dios que no *me atormentes*" (S. Marcos 5:7; la cursiva fue añadida). Si realmente queremos comprender el carácter de Dios, todo lo que tenemos que hacer es mirar a la persona de Jesús. Él dijo: "El que me ha visto a mí, ha visto al Padre" (S. Juan 14:9). Al contemplarlo, al observar sus caminos humildes, más a menudo nos negaremos a esas pasiones egoístas que nos atraen a la senda del diablo, la senda que nos revela su influencia y posesión.

Tres pasos fáciles para la posesión demoníaca

El tema de los demonios y la posesión demoníaca les parece algo fantástico y supersticioso a los norteamericanos "sofisticados" y modernos. En estos días, aun los cristianos más fundamentalistas se inclinan a relegar la actividad demoníaca a las tierras paganas y las experiencias misioneras, o a hacerla pasar como una perturbación mental pobremente diagnosticada por algún fanático religioso.[10]

Sin embargo, los cristianos que creen en la Biblia siempre han aceptado la noción de los demonios y su actividad de alcance mundial: el Nuevo Testamento ofrece amplios casos de ello. Por ejemplo, San Juan 13:27 dice de Judas: "Satanás entró en él". Aun una aceptación superficial de la Biblia lo impulsará a ver la realidad de la actividad demoníaca.

Antes de continuar, debemos también comprender que hay una gran diferencia entre posesión demoníaca y hostigamiento demoníaco. Todos son tentados u hostigados por el diablo. Si usted no piensa que alguna vez es tentado por el diablo, es probable que usted ya esté cerca de encontrarse bajo su posesión. Solo aquellos que están nadando contra la corriente sienten la atracción del río. Por supuesto, no es un pecado ser tentado; solo pecamos cuando nos rendimos a la tentación.

Hay poca probabilidad de que podamos atribuir la condición deplorable del loco de nuestra historia a otra cosa sino a la posesión demoníaca. ¿Cómo llegó a ser poseído por los demonios? Contrariamente a lo que se pinta en la película *Rosemary´s Baby*, los niños típicamente no nacen poseídos por el demonio. Tampoco es probable que el endemoniado se despierte un día y anuncie: "¡Eh, me gustaría ser

---

10Es cierto que ha habido muchos casos de personas que han tenido problemas médicos, como la epilepsia, que fueron acusadas falsamente de estar poseídas por el demonio. Pero también podría haber muchos más casos de personas que están poseídas por el demonio cuya conducta excéntrica se considera como solucionable médicamente, a menudo con el resultado de que el endemoniado es medicado para sumirse en un estupor complaciente.

poseído por el demonio!" Y probablemente no "cayó" en esta situación rápidamente, como ocurre con la gripe o el sarampión.

Bien por el contrario, el diablo se introduce en la persona muy lenta y calladamente hasta que puede tomar completo control de su presa; es el camello que está metiendo su nariz debajo de la tienda. Como opinó S. D. Gordon: "Es sorprendente pensar que Satanás puede en realidad entrar en el corazón de un hombre que está en un contacto tan cercano con Jesús como lo estuvo Judas. Y más aún, él astutamente está intentando hacerlo en la actualidad. Sin embargo, solo puede entrar a través de una puerta abierta desde el interior. Cada persona controla la puerta de su propia vida". [11]

En algún momento este hombre hizo una decisión consciente de ser libre, no del mal, sino de la influencia de Dios. Probablemente ansiaba verse libre de las restricciones y responsabilidades de la vida. Quería ser libre para hacer lo que deseaba hacer. Satanás a menudo usa la idea de ser "independiente" y de hacer "lo que uno quiere" para tentar a la gente al pecado. ¡Quieren "ser libres"!

Sin embargo, la verdad es que cuando nos rendimos al pecado, perdemos el control. De modo que en un sentido, sí, el endemoniado llegó a ser libre; ninguna restricción humana podía retenerlo. No estaba más atado por convenciones sociales que le decían cómo vestirse o cómo comportarse. Estaba libre de obligaciones sociales, porque la sociedad ya no lo quería más. Llegó a ser totalmente libre. Pero su libertad le costó más de lo que él jamás podría haberse imaginado. El pecado llegó a ser su amo cruel.

"¿No sabéis que si os sometéis a alguien como esclavos para obedecerle, sois esclavos de aquel a quien obedecéis, sea del pecado para muerte, o sea de la obediencia para justicia? Pero gracias a Dios, que aunque erais esclavos del pecado, habéis obedecido de corazón a aquella forma de doctrina a la cual fuisteis entregados; y libertados del pecado, vinisteis a ser siervos de la justicia" (Romanos 6:16-18).

Thomas Brooks dijo: "Satanás promete lo mejor, pero paga con lo peor; promete honor y paga con desgracia; promete placer y paga

---

11   S. D. Gordon, "The Bent-Knee Time", *Christianity Today,* vol. 33, No. 10.

con dolor; promete ganancia y paga con pérdida; promete vida y paga con muerte".

Satanás no puede poseernos sin nuestra ayuda. La posesión del demonio generalmente ocurre cuando las personas, mediante una sumisión larga y continuada a las sugerencias del demonio, pierden casi completamente su voluntad y capacidad para resistir. Su voluntad ya no es más la suya, así como este loco encadenado ya no era dueño de sí mismo.

Características de la posesión demoníaca

San Juan 8:44 advierte a los pecadores: "Vosotros sois de vuestro padre el diablo, y los deseos de vuestro padre queréis hacer. Él ha sido homicida desde el principio, y no ha permanecido en la verdad, porque no hay verdad en él. Cuando habla mentira, de suyo habla; porque es mentiroso, y padre de mentira".

¿Podemos reconocer fácilmente a una persona que está poseída por el demonio? Obviamente, sería difícil para una persona ocultar la posesión de seis mil demonios. Pero me estremezco al considerar cuántas personas podríamos encontrar, día tras día, que están poseídas por uno o dos o siquiera una docena de demonios, todo el tiempo arreglándoselas para mezclarse con los demás sin ser diagnosticadas en medio de la sociedad corriente.

Hay algunas señales reveladoras ante las cuales podemos tener cautela. A menudo, aquellos que están luchando con la posesión demoníaca llevan consigo una nube oscura, deprimente, que contamina a todos los que los rodean. Usted casi puede decirlo cuando entra en una habitación; es como si su atmósfera tenebrosa es contagiosa. Pero hay varios indicadores más tangibles, y el endemoniado de nuestra historia muestra muchas de estas características prominentes.

Cambio radical de la personalidad. El "antes y después" de la vida del endemoniado revela que en un tiempo fue una persona totalmente diferente. Esto muestra que su misma identidad e individualidad fueron tragadas por los demonios que estaban dentro de él.

Aquellos que han presenciado una posesión demoníaca a menudo informan que cada demonio parece tener su propia personalidad distinta y que el individuo poseído frecuentemente manifiesta las diversas personalidades del demonio o los demonios que lo poseen. El endemoniado debe haber demostrado una amplia serie de las personalidades repulsivas que estaban pugnando por el dominio de sus sentidos.

Conducta antisocial. La conducta del loco era obviamente antisocial, lo que explica por qué estaba viviendo en la soledad remota de las tumbas. Claramente, carecía de toda habilidad social. En muchos casos, este síntoma de la posesión demoníaca podría incluir lujuria o conducta sexualmente explícita. ("No vestía ropa".)

Discernimiento espiritual. El hombre poseído por los demonios también mostraba una insólita profundidad de discernimiento espiritual. Reconoció que Jesús era Dios aun antes de que Jesús hablase. Este discernimiento estaba obviamente más allá de cualquier capacidad espiritual humana. Los demonios también tienen un conocimiento intuitivo de su inminente condenación. ("¿Has venido acá para atormentarnos antes de tiempo?")

Fuerza sobrenatural. Los medios normales de confinamiento humano no podían controlar al endemoniado. Ninguna cadena era suficientemente fuerte; rompía los grillos como si fuesen cuerdas. Otros lugares de la Escritura también asocian la fuerza sobrehumana con la posesión demoníaca (ver Hechos 19:16).

Tormento. El precio de la posesión es muy alto; aquellos que caen víctima de los demonios a menudo sufren constante tormento. Tal fue el caso del endemoniado (ver S. Marcos 5:5). Sus gritos inhumanos horrorizaban a la gente del lugar. Aquellos poseídos por los demonios también podrían barbotear incoherentemente. ("Lanzó un gran grito".)

Tendencia hacia la autodestrucción. Otro indicador de la posesión demoníaca es el deseo de dañarse a uno mismo. ("Hiriéndose con piedras".) Otros endemoniados descritos en la Escritura mostraban inclinación a la autodestrucción, a menudo acompañada por ataques histéricos y convulsiones (ver S. Marcos 9:17-29). El ahogamiento de los cerdos demuestra dramáticamente los deseos autodestructivos de los demonios. También vemos esto manifestado en el fin de Judas.

(Recuerde, la Escritura dice que en la Última Cena, Satanás entró en él; ver San Lucas 22:3.) "Y arrojando las piezas de plata en el templo, salió, y fue y se ahorcó" (S. Mateo 27:5).

Una preocupación con la muerte. Los poseídos por demonios frecuentemente tienen una preocupación mórbida por la muerte y sus adornos. El endemoniado eligió vivir en un cementerio. De modo semejante, en nuestra cultura actual la gente fácilmente llega a ser adicta a la música *rock* con temas suicidas. Con frecuencia se visten con ropa negra y realzan su persona con lápiz labial y esmalte de uñas de color negro o de sangre.[12] A menudo usan también joyas o tatuajes que representan calaveras y otras imágenes propias de los cementerios.

Echando espíritus tercos

Después que el evangelista por televisión Jimmy Swaggart fue sorprendido en un escándalo moral, desafió las órdenes de las Asambleas de Dios de abstenerse de predicar por un año y someterse a consejería. En cambio, aseguró al público que estaba libre de defecto moral. Dijo que Oral Roberts ya había echado los demonios de su cuerpo por teléfono. Roberts confirmó el informe, insistiendo que su amigo tenía demonios que habían clavado sus uñas profundamente en su carne. Ahora que los villanos se habían ido, aseguraban Swaggart y Roberts, el evangelista podía seguir preparando el camino para el regreso de Cristo. Pero de acuerdo con los informes de los medios de comunicación, solo unos pocos meses más tarde Swaggart fue sorprendido en Palm Springs con una prostituta en su automóvil, el cual estaba cubierto de revistas pornográficas.

Debo avanzar cuidadosamente mientras me aventuro a considerar el importante tema de la expulsión de los demonios. No quiero dejarle la impresión de que hay alguna fórmula sencilla, de tres pasos. Sería bueno si un médico pudiera prescribir una píldora que eliminase todos los demonios que están dentro como la medicina que mata las lombrices en un perro. Pero la expulsión de demonios no es

---

12   Por supuesto, ni el negro ni el rojo son inherentemente malos.

algo para ser considerado livianamente. Ciertamente implica más que decir unas pocas palabras místicas por teléfono.

Soy muy receloso de los cristianos que pretenden tener un ministerio de exorcismo especial, porque no encuentro ninguna evidencia en la Biblia de que uno de los dones del Espíritu sea el de expulsar demonios.[13]

Sin embargo, la Biblia enseña claramente que en casos de posesión demoníaca, los siervos de Dios, mediante el poder divino, pueden echar fuera los demonios. No podemos competir con estos enemigos espirituales; pero en el poder de nuestro Señor podemos resistir firmes aun contra legiones de ellos. "Sanad enfermos, limpiad leprosos, resucitad muertos, echad fuera demonios; de gracia recibisteis, dad de gracia" (S. Mateo 10:8).

Con todo, la Palabra de Dios nos advierte que el diablo no se va fácilmente. Y echar demonios no es un asunto que ha de ejecutarse con una actitud frívola. Anteriormente, aludí a una historia en el libro de Hechos que ilustra precisamente este punto. Algunos jóvenes presuntuosos intentaron echar un demonio usando alguna fórmula trillada que pensaban que el apóstol Pablo estaba usando. Su plan les resultó terriblemente contraproducente. Examinemos toda la historia.

"Algunos de los judíos, exorcistas ambulantes, intentaron invocar el nombre del Señor Jesús sobre los que tenían espíritus malos, diciendo: Os conjuro por Jesús, el que predica Pablo. Había siete hijos de un tal Esceva, judío, jefe de los sacerdotes, que hacían esto. Pero respondiendo el espíritu malo, dijo: A Jesús conozco, y sé quién es Pablo; pero vosotros, ¿quiénes sois? Y el hombre en quien estaba el espíritu malo, saltando sobre ellos y dominándolos, pudo más que ellos, de tal manera que huyeron de aquella casa desnudos y heridos" (Hechos 19:13-16).

---

13 Tampoco creo que debiéramos buscar personas que están poseídas por el demonio o aquellas que imprimen tarjetas de presentación que anuncian una "Compañía de Demonios". Creo que patrocinar tales personas linda en buscar problemas y tentar a Dios.

Satanás se aferra tenazmente a sus víctimas. La historia del Éxodo nos cuenta que Moisés, como Jesús, vino para salvar a su pueblo de la esclavitud. El Faraón, como Satanás, se resistía fieramente a librarlos de su esclavitud, aunque esto significara la destrucción de su reino. Ciertamente, el nuevo nacimiento tiene algunos elementos de dolor y sangre. La liberación de la tiranía a menudo requiere sacrificio y lucha, ya sea el nacimiento de una nación o de un alma individual que está siendo liberada de los grilletes del pecado.

¿Qué podemos hacer?

Cite la Escritura. Cuando Jesús batalló con el diablo en el desierto, citó la Escritura. Es nuestra arma más poderosa. Podemos hundir la espada de la Palabra de Dios directamente en las tentaciones del engañador. Fue frecuentemente en el contexto de la predicación que Jesús echó los demonios. "Y predicaba en las sinagogas de ellos en toda Galilea, y echaba fuera los demonios" (S. Marcos 1:39). Anime a aquellos que están afligidos [por este azote] que lean la Biblia y que si pueden, que asistan a los servicios religiosos donde se proclama la Palabra. Incluso usted podría leerles la Escritura en voz alta.

Ore y ayune. Cierta vez un padre trajo a su hijo a Jesús y se quejó en cuanto a un demonio que poseía a su hijo: "Dondequiera que le toma, le sacude; y echa espumarajos, y cruje los dientes, y se va secando; y dije a tus discípulos que lo echasen fuera, y no pudieron" (S. Marcos 9:18).

Jesús respondió: "Este género con nada puede salir, sino con oración y ayuno" (S. Marcos 9:29). Podría requerir varias sesiones, o aun días, de oración especial y de ayuno para ver a un alma liberada. No se dé por vencido fácilmente; puede estar seguro de que el diablo no lo hará.

Crea. Debemos orar con fe que Dios liberará a aquellos que están siendo atormentados. Jesús dijo: "Si puedes creer, al que cree todo le es posible" (S. Marcos 9:23).

Prepare su propio corazón. Aquellos que están involucrados en la oración debieran escudriñar sus propias almas y confesar y abandonar sus pecados. "Hermanos, si alguno fuere sorprendido en alguna falta, vosotros que sois espirituales, restauradle con espíritu de mansedumbre, considerándote a ti mismo, no sea que tú también seas tentado" (Gálatas 6:1).

Unja con aceite. A menudo hay una línea delgada entre la aflicción médica y la espiritual, entre el tormento fisiológico y el diabólico. Por esta razón, podría ser apropiado ungir a la víctima con aceite. "¿Está alguno enfermo entre vosotros? Llame a los ancianos de la iglesia, y oren por él, ungiéndole con aceite en el nombre del Señor. Y la oración de fe salvará al enfermo, y el Señor lo levantará; y si hubiere cometido pecados, le serán perdonados" (Santiago 5:14, 15).

Invoque el nombre de Jesús. Siempre invoque el nombre y la autoridad de Jesús cuando emprende un combate espiritual. "Mas desagradando a Pablo, éste se volvió y dijo al espíritu: Te mando en el nombre de Jesucristo, que salgas de ella. Y salió en aquella misma hora" (Hechos 16:18). "Estas señales seguirán a los que creen: En mi nombre echarán fuera demonios" (S. Marcos 16:17).

¿Conoce el diablo su nombre?

Los entusiastas de los deportes podrían saber los nombres de todos los jugadores de su equipo favorito. Pero solo unos pocos atletas extraordinariamente dotados llegan a ser nombres familiares para la gente promedio: nombres como *Michael Jordan, Babe Ruth, Mohammed Ali* y *Tiger Woods*. Durante la Segunda Guerra Mundial, cada soldado japonés reconocía el nombre del general Douglas MacArthur.

Esto también es cierto en el ámbito espiritual. Doquiera Jesús iba durante su ministerio terrenal, los demonios que encontraba siempre sabían quién era. "Había en la sinagoga de ellos un hombre con espíritu inmundo, que dio voces, diciendo: ¡Ah! ¿qué tienes con nosotros, Jesús nazareno? ¿Has venido para destruirnos? Sé quién eres, el Santo de Dios" (S. Marcos 1:23, 24). En otra ocasión se nos dice que "sanó a muchos que estaban enfermos de diversas enfermedades, y echó fuera muchos demonios; y no dejaba hablar a los demonios, porque le conocían" (S. Marcos 1:34). Este conocimiento es comprensible. Después de todo, en un tiempo Jesús había sido su comandante celestial.

Dios, por supuesto, es omnisciente; él conoce todas las cosas. Conoce incluso más que meramente nuestros nombres; ¡él conoce el mismo número de cabellos que tenemos en nuestra cabeza! El diablo, por otra parte, no conoce todo. Sin embargo, está familiarizado con ciertas personas porque considera su reputación piadosa y su conducta como una amenaza. Un ejemplo perfecto de esto es Job, que evidentemente era una espina grande en el costado del diablo.

La Escritura nos narra: "Y Jehová dijo a Satanás: ¿No has considerado a mi siervo Job, que no hay otro como él en la tierra, varón perfecto y recto, temeroso de Dios y apartado del mal?" (Job 1:8). El diablo respondió que estaba bien familiarizado con Job. Y usted puede estar seguro de que el diablo también conocía los nombres de *Moisés, Noé, Daniel* y *David*. Y los enemigos de Dios conocían bien a Pablo: "A Jesús conozco, y sé quién es Pablo; pero vosotros, ¿quiénes sois?" (Hechos 19:15).

¿Conoce el diablo quién es usted? Es una pregunta inquietante, pero digna de considerar. Estoy seguro de que incluso podría hacerlo estremecer, porque nadie quiere atraer la atención diabólica de Lucifer. Con todo, ¿no quisiéramos vivir una vida que alarme al enemigo?

Someto a consideración de los lectores la afirmación de que cuando consagramos nuestras vidas a Dios y vivimos de esa manera, llegamos a ser una amenaza para el diablo. Ya sea que nos guste o no, somos todos jugadores en un campo de fútbol cósmico, rodeados por los ángeles de Dios y de Satanás, todos observando desde sus asientos en el estadio. Los ángeles de Dios ciertamente aclaman nuestras victorias, y los demonios obviamente las abuchean. Y cuando anunciamos públicamente nuestra fe en las promesas de Cristo, nuestros nombres son proclamados por el sistema de sonido cósmico. "Os digo que todo aquel que me confesare delante de los hombres, también el Hijo del Hombre le confesará delante de los ángeles de Dios" (S. Lucas 12:8).

Por otra parte, cuando negamos a Cristo mediante nuestras palabras y conducta, los demonios vitorean mientras los ángeles de Dios agachan sus cabezas y pliegan sus alas en desesperación. "El que me negare [a Jesús] delante de los hombres, será negado delante de los ángeles de Dios" (S. Lucas 12:9). Por lo tanto, pelee valientemente por la victoria en el campo de la vida para que su Maestro pueda decir con una sonrisa luminosa: "Bien, buen siervo y fiel" (S. Mateo 25:23).

En la próxima sección veremos cómo el Señor le ayudará a hacer todo esto y más…

LA LIBERATIÓN
SECCIÓN III

"Cuando vio, pues, a Jesús de lejos,
corrió, y se arrodilló ante él"—S. Marcos 5:6.

Parte 1: Encontrando el Perdón de Dios

Viniendo de lejos

El 27 de agosto del 2003, el planeta Marte casi alcanzó a la Tierra, pasando apenas a 55.439.342 kilómetros de nuestro planeta. Fue la aproximación más cercana de Marte que jamás se haya registrado en la historia. El planeta rojo no vendrá tan cerca nuevamente hasta el año 2287.

Por varias noches durante ese período, Marte fue el segundo objeto más brillante en el cielo nocturno (la Luna era el primero). Ese mes, pasé varias noches en el porche con mi familia, contemplando los cielos límpidos. Recuerdo haber sido impresionado profundamente con la inmensidad del universo.

Nuestro planeta es tan pequeño… es menos que el grano de arena más diminuto en la playa interminable del espacio. Habría sido tan fácil para Dios dar un chasquido con sus dedos y borrar este pequeño átomo rebelde que llamamos nuestro hogar.

¿Alguna vez ha sido usted renuente en ir a Jesús porque sintió que estaba demasiado lejos? Cuando usted contempla la vida perfecta e inmaculada de Cristo en contraste con su propia pecaminosidad, ¿se siente desanimado por la vastedad del golfo que lo separa de él?

Como el endemoniado con grillos, usted sabe que está firmemente atado por las cadenas de los malos hábitos y pecados. Pero la Biblia promete: "Acercaos a Dios, y él se acercará a vosotros" (Santiago 4:8).

En nuestra historia del loco, Jesús y sus discípulos "arribaron a la tierra de los gadarenos, que está en la ribera opuesta a Galilea"

(S. Lucas 8:26). Galilea era el centro de las labores de Jesús, de modo que al ir a "la ribera opuesta a Galilea", él viajó un largo trayecto para encontrar al lunático. Este es un hecho que usted no querrá pasar por alto en esta historia, porque en él usted también verá que Jesús vino de su hogar muy distante en el cielo a este mundo inferior y oscuro. Nuestro planeta es la antítesis del paraíso.

Vale la pena repetirlo: Jesús hizo un viaje peligroso a través del mar tormentoso para salvar a un hombre completamente cautivo en manos del enemigo. Él también cruzó el océano del espacio para salvar a este único mundo perdido. Como un pastor en busca de una oveja perdida, caminó por el vasto cosmos para salvar a una humanidad condenada.

"Venid a mí todos los que estáis trabajados y cargados, y yo os haré descansar"—S. Mateo 11:28.

Venga como está

Durante una guerra entre Francia e Inglaterra, un barco ballenero francés zarpó en un largo viaje. En cierto punto durante su extensa travesía, la tripulación se quedó sin agua potable. Desafortunadamente, el único puerto al que podían llegar antes de perecer de sed era uno controlado por Inglaterra.

Por supuesto, tenían temor de acercarse porque estaban seguros de que el barco sería apresado y ellos serían tomados cautivos. Eventualmente, sin embargo, levantaron una señal de socorro… y llegó la respuesta de que podían entrar en paz porque la guerra había terminado. Los marineros apenas podían creerlo; pensaban que con toda seguridad eso era un ardid. Pero estando frente a la muerte, no tenían una opción mejor. De modo que llegaron con dificultad al puerto, arriesgando su libertad. Cuando atracaron, encontraron que el informe era verdadero: se había declarado la paz y no tenían el menor peligro.

Una de las verdades más sublimes en la historia del endemoniado es que este cautivo impotente de Satanás vino a Jesús tal como estaba. No podía hacer nada para salvarse a sí mismo.

El trabajo de un pastor incluye la visitación periódica a los miembros de la congregación. Algunos de estos miembros ofrecen toda clase de excusas de por qué el pastor no debiera visitarlos a ellos y a sus familias, al menos no precisamente ahora. "¡La casa está desordenada!" "Mi cabello está todo despeinado". "No he tenido la oportunidad de limpiar y cambiar mis ropas". "No me siento muy bien hoy". Y la lista continúa.

El endemoniado tenía más razones para declararse no preparado para encontrar a Jesús que casi cualquier otra persona. Podría haber argüido fácilmente que su patio —¡su cementerio!—estaba todo desordenado. Podría haber dicho que sus ropas estaban un desastre, o más exactamente, que él estaba desnudo y avergonzado. Probablemente no se sentía muy sano tampoco. Pero comprendió su necesidad desesperada, de modo que se acercó a Jesús tal como estaba. Y Jesús lo recibió a pesar de su condición deplorable.

El mundo está lleno de personas que languidecen en algún punto del mar de la vida, enfrentando la muerte eterna porque no tienen "agua de vida" a bordo de su embarcación. En vez de dirigir su barco hacia el puerto de Dios, razonan: "¡Dios es un tirano! No podemos confiar en él. No, él nos destruirá".

Quiero proclamar a voces un mensaje sobre todas las aguas que cubren esta tierra: "¡Se ha declarado la paz! ¡Vengan al puerto, donde encontrarán el pan de vida y el agua viviente disponible en abundancia!" La Escritura nos dice: "El Espíritu dice: Ven. Y el que tiene sed, venga; y el que quiera, tome del agua de la vida gratuitamente" (Apocalipsis 22:17).

> Tal como soy de pecador,
> Sin otra fianza que tu amor,
> A tu llamado vengo a ti,
> Cordero de Dios, heme aquí.[1]

"Bienaventurados los pobres en espíritu, porque de ellos es el reino de los cielos"—S. Mateo 5:3.

---

1   Del himno "Tal como soy", *Himnario adventista del séptimo día*, N° 249.

Andando vacío

Dwight Moody acostumbraba contar la historia de un artista de la Inglaterra del siglo XIX que quería pintar un cuadro del hijo pródigo. Buscó por los manicomios, los asilos y las prisiones para encontrar a un hombre suficientemente miserable como para representar al pródigo descarriado, pero no pudo encontrar a nadie.

Entonces cierto día el pintor estaba caminando por una calle y encontró a un mendigo que pensó que haría bien ese papel. Le dijo al harapiento que le pagaría si venía a su casa y posaba para un retrato. El mendigo estuvo de acuerdo y escogieron un día para que él viniese.

Sin embargo, cuando el hombre apareció en la casa del artista, éste no lo reconoció.

El mendigo dijo:

—Usted hizo una cita conmigo para un retrato en el día de hoy.

—No es posible; ¡yo nunca lo encontré antes! Debe haber sido con algún otro artista. Por cierto, yo iba a ver a un pobre mendigo a esta misma hora –replicó el pintor.

—Pero yo soy ese individuo —dijo el hombre.

—¿Usted? ¿Pero qué ha hecho con su persona?

—Bien, pensé que me arreglaría un poco antes de que me retratara.

—Yo lo quería a usted tal como era —replicó el artista—. Ahora usted no me sirve.

Martín Lutero dijo: "Dios crea de la nada, de modo que hasta que no lleguemos a ser nada, él no puede hacer nada de nosotros". Cuando el endemoniado fue a Jesús, fue con las manos absolutamente vacías. Las únicas posesiones que podía ofrecer a Jesús eran su alma miserable, su corazón prisionero, su mente trastornada y cadenas destrozadas. Y en forma muy semejante al hijo pródigo que volvía al hogar, cuando vamos a Jesús, vamos con ropas sucias, con manos y bolsillos vacíos… y con un tanque de gasolina vacío.

Permítame explicarme: Detesto quedarme sin gasolina. Como la mayoría de las personas, lleno el tanque mucho antes de que comiencen a parpadear las luces de advertencia. Pero durante mis treinta años de manejar vehículos, algunas veces he estado a punto de que me pase eso. En cierta ocasión, busqué desesperadamente una estación de gasolina en una ciudad desconocida, mientras manejaba tan económicamente como podía. Aceleraba lentamente y andaba sin el motor toda vez que era posible. Finalmente encontré una estación de servicio, y sentí un gran alivio. Y justamente cuando estacioné junto a la bomba, mi automóvil comenzó a toser con sus últimas pocas gotas de gasolina. Estaba totalmente vacío cuando llegué a la gasolinera.

Así es como llegamos a Jesús: vacilantes y completamente vacíos.

Pedro, Andrés, Santiago y Juan dejaron sus redes y botes para seguir a Jesús. Mateo renunció a su puesto de cobrador de impuestos. Abandonaron todo lo que tenían. Pero cuando Jesús le dijo al joven rico que vendiese todo lo que tenía y que diese la ganancia a los pobres, él rehusó. "Se apenó, y se fue triste, porque tenía muchas posesiones" (S. Marcos 10:22, NRV 2000). Reacio a perder la seguridad de sus riquezas terrenales, se alejó de Jesús con sus bolsillos llenos y su corazón vacío.

Jesús nos pide a cada uno de nosotros que cortemos nuestros lazos con toda posesión terrenal antes de que podamos ser sus discípulos. Cada uno de nosotros debemos colocar en el altar cualquier cosa y toda cosa que se interponga entre nuestro corazón y Jesús. "Porque donde esté vuestro tesoro, allí estará también vuestro corazón" (S. Mateo 6:21).

A fin de salvarnos, Dios puede permitir que soportemos diversas pruebas de modo que le prestemos atención. A veces debe colocar una carga en nuestras espaldas para hacer que caigamos de rodillas. Esto puede sobrevenir a través de una enfermedad o de una crisis familiar o financiera.

Por ejemplo, un hombre en su década de los cincuenta años que aceptó a Cristo en una de mis reuniones evangelizadoras cuenta esta historia. En un tiempo tenía un buen trabajo del gobierno, una hermosa casa, una familia encantadora y dinero en el banco. Un fin de semana, viajó a Reno con algunos amigos para jugar en uno de los casinos. Como la mayoría de las personas, perdió dinero en la mesa de naipes, en la rueda de la ruleta y en las máquinas tragamonedas.

Con una actitud ingenua hacia la atracción adictiva del dinero ganado rápidamente, regresó a la semana siguiente con altas esperanzas de recuperar lo que había perdido. En cambio, sin embargo, perdió más. Comenzó a descuidar a su familia y sus compromisos de trabajo a medida que crecía su deseo de recuperar el dinero perdido. Pero sencillamente siguió perdiendo. Cuando yo lo encontré, estaba enfrentando una deuda de $60.000 dólares en su tarjeta de crédito, aun después que había hipotecado su casa, vaciado su cuenta de banco, y sacado en efectivo todo el dinero de su jubilación. Más aún, estaba bebiendo en gran escala, había perdido su trabajo, y su esposa lo había divorciado.

Espiritual y literalmente en bancarrota, vino a Jesús y encontró verdaderas riquezas. Como dicen los himnos:

"Que mis bienes ocultar
No los pueda a ti, Señor". [2]

"Mis faltas traigo a Cristo
Para lavar mi mal.
Su muy preciosa sangre,
Sí, limpia mi pecar.
Le entrego mi miseria,
Me da su plenitud.
Él sana mi alma enferma,
Y redención me da". [3]

"Amados, yo os ruego… que os abstengáis de los deseos carnales que batallan contra el alma"—1 S. Pedro 2:11.

Dos espíritus

Una adolescente en Virginia se sintió impresionada al encontrar una tortuga de dos cabezas detrás de su casa. Tomó a la pobre criatura

---

2   Del himno "Que mi vida entera esté", Himnario adventista del séptimo día, Nº 248.
3   Del himno "Cristo Llevó Mis Faltas".

y observó cómo las dos extravagantes cabezas luchaban en dirección opuesta por un pedazo de comida que ella le dio.

De acuerdo con los hombres de ciencia, el hecho de tener dos cabezas puede ocurrir en todos los animales, pero generalmente, tales criaturas no viven mucho. Cada cabeza tiende a trabajar independientemente de la otra, controlando su propio lado del cuerpo, y por lo tanto creando desunión, confusión y frustración. A menos que una cabeza tome el control principal, la criatura pronto morirá de hambre e indecisión.

Se está librando una guerra en el corazón y la mente de toda persona en el planeta, una guerra entre el espíritu y la carne. En un sentido, es realmente una guerra entre dos espíritus.

Si usted preguntase a la gente, "¿Quisiera que lo poseyese el Espíritu?", la mayoría probablemente cruzaría los brazos y sacudiría enfáticamente la cabeza. "¡No, gracias!" Casi siempre consideramos que "posesión" equivale a espíritus malignos. Pero dos espíritus contrastantes están buscando residir en nuestros corazones y mentes: el Espíritu de Dios y el espíritu de Satanás (ver 1 Corintios 2:12). El motivo primario de uno de estos espíritus es el amor, y del otro, el egoísmo. A veces, cada uno de nosotros siente que estas fuerzas nos tironean en direcciones opuestas.

Dios planeó que nuestras mentes fuesen la morada del Espíritu Santo. Un buen ejemplo de esto es el profeta Daniel, quien fue escogido "porque había en él un espíritu superior" (Daniel 6:3). Esto también fue cierto del mártir Esteban, "varón lleno de fe y del Espíritu Santo" (Hechos 6:5). ¿Y quién podría olvidar a Juan el Bautista, "lleno del Espíritu Santo, aun desde el vientre de su madre" (S. Lucas 1:15)?

Para estos hombres y para nosotros, la parte más importante del cuerpo es la computadora electroquímica, de un kilogramo de peso, llamada cerebro. Sus manos y pies hacen lo que les manda su cerebro, de modo que ése es el espacio donde el Espíritu de Dios quiere habitar. Por supuesto, el diablo está tanteando continuamente nuestras defensas mentales en busca de lugares débiles, de modo que pueda forzar la entrada y tomar completo control de nuestros pensamientos.

Sin embargo, Jesús golpea cortésmente a la puerta de nuestros corazones y mentes, llamando tiernamente nuestros nombres y pidiendo suavemente permiso para entrar y morar en nosotros (ver

Apocalipsis 3:20). Debiéramos abrirle la puerta, porque él está lleno en forma perfecta del Espíritu de Dios. "Pues Dios no da el Espíritu por medida" (S. Juan 3:34).

Dwight Moody dijo: "Dios nos ordena que seamos llenos del Espíritu, y si no estamos llenos, es porque estamos viviendo por debajo de nuestros privilegios". ¿Cómo podemos recibir esta plenitud del Espíritu?

"Bienaventurados los de limpio corazón, porque ellos verán a Dios"—S. Mateo 5:8.

Poder en la pureza

Uno de los caballeros de la Mesa Redonda del Rey Arturo era Sir Galahad, que era llamado el "Caballero Doncella" debido a su vida pura. Era mucho más noble que el bien conocido Sir Lancelot, que tuvo una aventura amorosa con Guinevere. Alfred Tennyson, el poeta inglés, informa que Sir Galahad declaró: "Mi fuerza es como la fuerza de diez, porque mi corazón es puro".

Consideramos en profundidad las estratagemas mortales del diablo en la Sección II de este libro. Después de verlas, usted podría pensar que deberíamos vivir temiendo su astuto poder. Pero la historia de la liberación del endemoniado enseña lo opuesto: cuando estamos morando en Cristo, no necesitamos temer al enemigo. "Hijitos, vosotros sois de Dios, y los habéis vencido; porque mayor es el que está en vosotros, que el que está en el mundo" (1 Juan 4:4). Necesitamos recordar siempre este hecho crucial: No llegamos a ser fuertes para Dios por virtud de nuestra propia justicia. Muchos cristianos profesos se ven incapacitados en su servicio porque sus pecados no abandonados minan la vitalidad de su fe.

Fue después que los discípulos habían pasado diez días humillándose y poniendo a un lado sus diferencias que Dios derramó el poder de su Espíritu (Hechos 1:8). "Pero los que esperan al Señor tendrán nuevas fuerzas, levantarán el vuelo como águilas; correrán, y no se cansarán; caminarán, y no se fatigarán" (Isaías 40:31, NRV 2000).

Cierta vez leí acerca de un joven soltero más bien tosco e inculto que se enamoró de un hermoso jarrón en la vidriera de un negocio frente al cual él pasaba cada día al ir caminando a su trabajo. Eventualmente compró el jarrón y lo colocó en la repisa al lado de la ventana de su dormitorio. Pronto se convirtió en un objeto que condenaba abiertamente el estado de su cuarto: las cortinas estaban desteñidas y sucias, la vieja silla exudaba parte de su relleno y el empapelado se estaba despelechando. El joven decidió que tenía que limpiar el cuarto para hacerlo digno del jarrón. Gradualmente, un proyecto a la vez, el dormitorio cobró vida. Había rejuvenecido. La belleza de un objeto especial inspiró la transformación.

Esta historia ilustra la influencia transformadora que tiene Jesús cuando lo recibimos en nuestros corazones. Jesús hará nuestros corazones más puros; y cuando lo hace, llegaremos a ser más capaces para resistir las tentaciones de Satanás. Hay poder en la pureza.

"El Espíritu de Dios, el Señor, está sobre mí, porque me ungió para predicar buenas nuevas a los pobres. Me envió a vendar a los quebrantados de corazón, a publicar libertad a los cautivos, y a los presos apertura de la cárcel"—Isaías 61:1, NRV 2000.

Liberando a los cautivos

Un minero se acercó al famoso predicador G. Campbell Morgan y le dijo que haría cualquier cosa para creer que Dios le perdonaría todos sus pecados.

—Pero —lamentó el minero—, no puedo creer que lo hará si solo me dirijo a él. Eso es demasiado barato.

El Dr. Morgan respondió con una pregunta.

—Usted estuvo trabajando en la mina hoy. ¿Cómo salió del pozo?

—De la manera como lo hago generalmente —contestó el minero—. Subí a la caja del elevador y me subieron a la superficie.

—¿Cuánto pagó para salir del pozo? —preguntó el pastor.

—No pagué nada.

—¿No tenía temor de confiarse a esa caja? ¿No era demasiado barata? El hombre replicó:

—¡Oh, no! Fue barata para mí, pero le costó a la compañía una gran cantidad de dinero.

¡Repentinamente el minero vio la luz! Mientras nuestra salvación nos llega gratuitamente por la fe y no por nada que nosotros hagamos, Jesús pagó un precio inmenso por ella. El regalo que es gratuito para nosotros le costó a Dios muchísimo.

El ruego más elocuente que podía ofrecer el endemoniado era su propia impotencia desesperada. Pero él vino de cualquier manera, y Jesús oyó la oración de su corazón. "El Espíritu nos ayuda en nuestra debilidad; pues qué hemos de pedir como conviene, no lo sabemos, pero el Espíritu mismo intercede por nosotros con gemidos indecibles" (Romanos 8:26).

Todo lo que se necesitó fue una palabra de Jesús: "¡Id!", y el hombre estaba libre.

Mientras que en un tiempo el endemoniado había sido un esclavo de la posesión demoníaca, ahora estaba libre. Mientras que en un tiempo había vivido en forma desenfrenada y sin control, ahora estaba sentado calladamente a los pies de Jesús. Mientras que en un tiempo era un instrumento de Satanás, ahora era un testigo del poder de Cristo. En un tiempo desnudo, ahora estaba vestido. En un tiempo una amenaza para la sociedad, ahora era un mensajero con palabras de liberación y sanamiento.

Una niña observaba cómo un avión escribía una propaganda contra el trasfondo azul del cielo. Se sintió un poco perpleja cuando las palabras comenzaron a desaparecer. Entonces repentinamente levantó la voz. "Quizás Jesús tiene un borrador", dijo ella.

En un sentido ella tenía razón. Así como desaparece lo que se escribe en el cielo, Jesús borra todas las cosas de las que nos hemos arrepentido. No importa cuánto maduramos como cristianos y tratamos desesperadamente de hacer compensación por nuestras faltas pasadas, los recuerdos de esos fracasos pueden resurgir y acecharnos. Pero con el perdón de Dios, se desvanecerán.

Jesús tiene un borrador.

*"Jesús le dijo: Si puedes creer, al que cree
todo le es posible"* —S. Marcos 9:23.

El poder de la fe

Un amigo me dio una raqueta que valía doscientos dólares cuando oyó cuánto me gustaba jugar raquetbol. (Creo que la había comprado con 75 por ciento de descuento.) Aguardaba la oportunidad de probar esta raqueta superliviana y poderosa. En realidad, pensé para mis adentros: "Ahora voy a ganar para variar, porque tengo esta raqueta costosa y con un diseño de alta tecnología".

Efectivamente, la siguiente vez que jugamos, gané los tres partidos. Después, cuando estaba guardando mi raqueta, descubrí que había estado jugando con mi raqueta vieja. Evidentemente, había sacado la raqueta vieja de mi bolsa en vez de la nueva sin notar lo que estaba haciendo. Y puesto que pensé que estaba jugando con una raqueta de doscientos cincuenta dólares, jugué mucho mejor, ¡aunque todo el tiempo en realidad estaba usando la misma raqueta vieja y torcida de 39 dólares que había tenido siempre!

¡La fe es poderosa! Conscientes de esta verdad, las grandes corporaciones pagan miles de dólares por día a oradores motivadores para que inspiren a sus vendedores. Estos oradores dicen que cuando la gente verdaderamente cree en algo, tienen el "poder del pensamiento positivo", lo que puede influir en ellos para hacer cosas extraordinarias.

Aun los programas de recuperación de una adicción en doce pasos incorporan la fe como una de las principales claves para el éxito. El paso ocho dice: "No solamente creo, sino que 'actúo como si' mi poder superior está guiando mi vida y situaciones. Mi vida es una vida de simple dependencia de mi Poder Superior".

La Biblia también promete grandes cosas para aquellos que tienen fe. Desde el Antiguo Testamento al Nuevo, el tema siempre ha sido acerca de tener fe. Habacuc 2:4 nos dice: "El justo por su fe vivirá". Y en el Nuevo Testamento, Pablo escribió: "Por gracia sois salvos por medio de la fe" (Efesios 2:8).

Después que los discípulos trataran sin éxito de echar un demonio de un niño, llamaron a Jesús, quien reprendió al demonio y curó al niño casi instantáneamente. Los discípulos entonces le preguntaron a Jesús: "¿Por qué nosotros no pudimos echarlo fuera?" Jesús contestó: "Por vuestra poca fe; porque de cierto os digo, que si tuviereis fe como un grano de mostaza, diréis a este monte: Pásate de aquí allá, y se pasará; y nada os será imposible" (S. Mateo 17:19, 20). Y cuando Jesús enfrentó al endemoniado, creía que tenía el poder para poner en libertad a esa pobre alma.

"Sin fe es imposible agradar a Dios; porque es necesario que el que se acerca a Dios crea que le hay, y que es galardonador de los que le buscan" (Hebreos 11:6). No seremos capaces de quebrar ninguna de las cadenas que nos atan si no tenemos fe.

Pida a Cristo que aumente su fe hoy de modo que pueda hacer cosas aun más grandes en su vida. Si su fe es frágil, incluso puede orar como el padre del niño poseído por el demonio: "Creo; ayuda mi incredulidad" (S. Marcos 9:24).

"Puestos los ojos en Jesús, el autor y
consumador de la fe"—Hebreos 12:2.

Somos cambiados por la contemplación

Un piadoso pastor fue abordado por un miembro de su congregación, un médico que estaba preocupado por el ocupado programa de trabajo del pastor. Entregándole al ministro algunos boletos para ir al cine, le dijo: "¡Usted trabaja demasiado duro! Necesita alguna recreación, de modo que vaya a ver esta película y pase un buen rato".

El pastor miró los boletos, sabiendo que por razones de conciencia no podría asistir. Replicó amablemente:

—Gracias, pero no puedo aceptarlos. No puedo ir.

—¿Por qué no? —preguntó el médico.

—Doctor, la cuestión es así –contestó—. Usted es un cirujano, y cuando usted opera, se lava sus manos meticulosamente hasta que están bien limpias. Usted no se atrevería a operar con manos sucias. De manera semejante, yo soy un siervo de Cristo. Trato con almas humanas preciosas. No me atrevería a prestar mi servicio con un corazón sucio.

Probablemente las influencias más letales que están erosionando la pureza de los cristianos modernos son las de la televisión, los vídeos y los DVD. Muchos cristianos profesos a quienes jamás se los encontraría culpables de participar en los hechos reales de un asesinato, de un adulterio, un robo o una mentira, todavía participan vicariamente en estos pecados cada semana al contemplarlos voluntariamente en programas de televisión y a través de películas.

El rey David prometió: "No pondré delante de mis ojos cosa injusta" (Salmo 101:3). La Escritura no solo condena esos actos, sino que pronuncia juicio contra aquellos que "se complacen con los que las practican" (Romanos 1:32). En otras palabras, aquellos que se deleitan al observar a otros cometiendo estos pecados, los están cometiendo en sus corazones.

Hay una mariposa exquisita con una envergadura de las alas de menos de una pulgada. Es hermosa: alas azules brillantes con manchas doradas como joyas. Pero así como es un encanto contemplarla, tiene por otro lado una dieta repugnante. En vez de flotar de flor en flor y alimentarse con el néctar, desciende a la tierra y se alimenta de estiércol.

Millones de cristianos profesos actúan como estas mariposas. Van a la iglesia, pero en la casa se alimentan de inmundicia mientras observan programas de televisión y vídeos que profanan el nombre de Dios y muestran violaciones de cada mandamiento. Si alguna vez esperamos ser puros de corazón, debemos guardar las avenidas del alma. Lo que decidimos mirar, leer y oír debiera estar a la altura de las normas de lo que Cristo aprueba.

"Así que, hermanos, os ruego por las misericordias de Dios, que presentéis vuestros cuerpos en sacrificio vivo, santo, agradable a Dios, que es vuestro culto racional. No os conforméis a este siglo, sino transformaos por medio de la renovación de vuestro entendimiento, para que comprobéis cuál sea la buena voluntad de Dios, agradable y perfecta" (Romanos 12:1, 2).

Es hermoso considerar la liberación del endemoniado. Cuando esta pobre alma atormentada estuvo ante el Salvador y lo contempló, fue transformada a la imagen de su nuevo Amo. La Escritura a menudo confirma el principio de que llegamos a ser como la persona o cosa que adoramos. "Por tanto, nosotros todos, mirando a cara descubierta como en un espejo la gloria del Señor, somos transformados de gloria en gloria en la misma imagen, como por el Espíritu del Señor" (2 Corintios 3:18).

De manera que si fijamos nuestros ojos en Jesús y cada día contemplamos su vida pura e inmaculada, nos encontraremos anhelando esa misma pureza. Pero si llenamos nuestra mente del material perverso y frívolo que tanto predomina en películas, revistas y en la televisión, descubriremos que los deseos carnales constantemente contaminarán nuestro corazón. Endurecerán nuestra conciencia, y perderemos nuestra hambre y sed de justicia.

Es digno de notarse que el endemoniado semejante a un animal vivía en una región llena de ídolos. Muchos representaban a dioses que eran en parte animal y en parte hombre. Rodeado por estas imágenes semejantes a animales, el loco llegó a ser como los ídolos que contemplaba. La Biblia dice que esto le ocurrirá a todo aquel que cae en la misma trampa. "Semejantes a ellos [los ídolos] son los que los hacen, y todos los que en ellos confían" (Salmo 135:18).

Aquellos que adoran y siguen a Jesús son transformados gradualmente a su semejanza. Esto es lo que los hace *cristianos*, "seguidores de Cristo". La Escritura subraya esta transformación en los discípulos de Jesús: "Entonces viendo el denuedo de Pedro y de Juan, y sabiendo que eran hombres sin letras y del vulgo, se maravillaban; y les reconocían que habían estado con Jesús" (Hechos 4:13).

"Cuando vio a Jesús, dio un grito y se arrojó
a sus pies"—S. Lucas 8:28, NVI.

Admitiendo nuestra culpa

Cierto día el zar de Rusia visitó una prisión en Moscú. Cuando estaba inspeccionando una celda llena de criminales, los presos se agolparon contra los barrotes y comenzaron a rogarle que los pusiese en libertad. En una forma u otra, todos sostuvieron que eran inocentes y que habían sido acusados falsamente.

El zar notó a un hombre sentado calladamente y solo, en un banco en el fondo de la celda. El zar lo llamó y le preguntó: "¿Por qué estás aquí?"

El criminal respondió: "Su Alteza, soy un ladrón. Soy culpable de haber robado un carretón".

El zar ordenó a los guardas que libertasen a este hombre, comentando: "No quiero que un ladrón confeso contamine a todos estos hombres inocentes".

Un arrepentimiento honesto y de corazón es un requisito previo para ser limpiados. Antes de que podamos ser transformados, debemos hacer una confesión plena de todos nuestros pecados.

Aun antes de eso, debemos tener un deseo real de vernos libres del pecado. El verdadero arrepentimiento no solo significa que sentimos remordimiento por nuestros pecados, sino que también estamos suficientemente tristes como para dejar de cometerlos. Algunos actúan como si el hecho de confesar los pecados una vez por semana en la iglesia le da a la gente una "pizarra limpia" para llenarla nuevamente. ¡Eso no es verdadero arrepentimiento!

La Biblia habla de dos clases de arrepentimiento. Judas se arrepintió y luego se ahorcó. Pedro se arrepintió y lloró amargamente, y fue convertido. ¡Él cambió! Dios quiere que nos sintamos tristes por nuestros pecados; suficientemente tristes como para cambiar, suficientemente tristes como para dejar de hacerlos. "El que los confiesa [sus pecados] *y se aparta* [de ellos] alcanzará misericordia" (Proverbios 28:13, la cursiva fue añadida).

¿Por qué quiere Dios que confesemos nuestros pecados?

Cuando yo era un cristiano recién convertido, decía: "Dios, necesitamos conversar. Es mejor que te sientes y que te prepares; hay algunas cosas que tengo que decirte", como si al confesar le estuviera diciendo algo que él no sabía. ¡Pero Dios ya sabe todo! De modo que podríamos preguntar: "Si Dios sabe todo, ¿por qué orar?" Jesús nos dice que sabe las cosas que necesitamos antes de que oremos (S. Mateo 6:8), pero todavía nos dice que pidamos. De la misma manera, él conoce nuestros pecados antes de que los confesemos, pero todavía nos pide que los confesemos.

Dios nos pide que confesemos por lo menos por un par de razones. Primero, porque es una simple cortesía. Cuando ofendemos a una persona, debiéramos decirle que lo lamentamos mucho. Cada vez que pecamos, nos perjudicamos a nosotros mismos, ofendemos a otros y ofendemos a Dios. De modo que cuando confesamos, le decimos a Dios: "Lo siento mucho". Solo es propio pedir disculpas.

Segundo, porque la confesión es el método de Dios para quitar el sentimiento de culpa de nuestras vidas. Nos ayuda a creer que somos verdaderamente perdonados. Pienso que algunas personas nunca han sentido la libertad y paz que Dios quiere que disfrutemos como cristianos, porque su confesión es tan superficial y breve. En muchos casos, pasamos veinte, treinta y aun cuarenta años pecando diariamente, hora tras hora, ofendiendo a nuestro Padre celestial, solo para encontrar un momento fugaz en el cual decimos arrogantemente: "Señor, perdona mis pecados". Nadie encontrará solaz y alivio con esa clase de confesión superficial y mezquina.

Ahora bien, no estoy diciendo que debiéramos confesar específicamente cada pecado que alguna vez hayamos cometido. Nadie puede recordar todas las cosas equivocadas que ha hecho. Sin embargo, debiéramos tratar de ser tan específicos como sea posible.

¿Cuán específicos podemos ser cuando algunos de nosotros no podemos recordar ni siquiera lo que hemos hecho en un día?

He aquí algo que yo creo que da buen resultado. Yo no recuerdo cada mentira que he dicho alguna vez, pero sé que fui un mentiroso. No recuerdo todo lo que he robado, pero sé que fui un ladrón. De modo que cuando llegó el momento de arrepentirme de esos pecados, tomé un pedazo de papel y escribí: "Yo soy un ladrón. Yo soy un mentiroso". Si usted recuerda algo específico, podría ser que el Espíritu Santo le está colocando ese recuerdo en su corazón. Si usted tiene temor de olvidar algo, no tema. Si usted le pide a Dios que le ayude, el Espíritu Santo le traerá a su memoria los pecados que necesita confesar. ¡Al llegar a este punto de su vida, usted podrá tener una larga lista![4]

Cuando usted ha compilado su lista, arrodíllese y diga: "Padre, estoy confesando mis pecados. Soy culpable de estas cosas". Luego léale su lista a Dios. Sé que podría ser doloroso, pero créame, ¡es extremadamente saludable para su alma! Termine su oración diciendo: "Por favor, perdóname, por causa de Cristo".[5]

Tenemos la promesa: "Si confesamos nuestros pecados, él es fiel y justo para perdonar nuestros pecados", y también para "limpiarnos de toda maldad" (1 Juan 1:9). Eso significa no solo libertad de la penalidad del pecado, que es la muerte, sino del poder del pecado. Cuando usted confiesa de ese modo, Dios le dará el poder para hacer lo recto y para hacer cambios en su vida. "Si alguno está en Cristo, nueva criatura es; las cosas viejas pasaron; he aquí todas son hechas nuevas" (2 Corintios 5:17).[6]

"Y los demonios… entraron en los cerdos; y el hato se precipitó por un despeñadero al lago, y se ahogó"—S. Lucas 8:33.

---

4   Una de las otras ventajas de esta clase de confesión detallada es que usted está admitiendo que sus pecados son pecados. En otras palabras, es bastante fácil decir: "Señor, soy un pecador", pero cuando usted finalmente dice: "Señor, soy un chismoso", podría ser la primera vez que usted ha reconocido específicamente que el chisme es un pecado. Esto le da al Espíritu Santo aun más oportunidad para cambiar esa falla suya.

5   Tampoco debemos descuidar el confesar nuestras faltas a otras personas a quienes hemos ofendido. Por ejemplo, si usted ha robado algo, debiera decirle a la persona a quien ha ofendido y luego, hasta tanto sea posible, tratar de restituir lo defraudado a esa persona (ver Ezequiel 33:15). Si usted ha ofendido a alguien, necesita decirle que lo siente mucho y tratar de restaurar la relación.

6   Después que usted ha confesado sus pecados, tome la lista y préndale fuego, o átela a una roca y arrójela al océano (ver Miqueas 7:19).

Cerdos poseídos que se hunden en el mar

Alguien observó cierta vez en cuanto a los cerdos en la historia del endemoniado: "Si nuestro Señor realizase hoy día un milagro tal, se habría visto en serias dificultades. Inmediatamente, la Agencia de Protección del Ambiente (EPA, en inglés) habría estado investigando la contaminación del lago debido a que los cadáveres de los cerdos fueron tirados allí. Luego la organización de Personas en favor del Tratamiento Ético de los Animales (PETA, en inglés) se habría levantado en armas por esa crueldad atroz contra los animales. Después, los comerciantes de cerdos se habrían sentido grandemente angustiados por el aumento repentino del precio de los cerdos debido a la escasez de puercos".

Este milagro devastador parece no armonizar con el carácter de Jesús, a quien vemos típicamente sanando a la gente y salvando vidas. La única otra ocasión en que una orden de Cristo resultó en muerte fue cuando maldijo a la higuera. ¿Por qué Cristo les permitió a los demonios que destruyesen a los cerdos?

En parte, Jesús dejó que los demonios entrasen en los cerdos porque lo consideró apropiado para poner juntas cosas inmundas con otras cosas inmundas. La Biblia clasifica a los cerdos entre las criaturas más inmundas. "De la carne de ellos [los cerdos] no comeréis, ni tocaréis su cuerpo muerto; los tendréis por inmundos" (Levítico 11:8). Los cerdos y los demonios van juntos como los zorrinos y el mal olor. [7]

Los cerdos son un símbolo de los perdidos que rechazan la salvación. "No deis lo santo a los perros, ni echéis vuestras perlas delante de los cerdos, no sea que las pisoteen, y se vuelvan y os despedacen" (S. Mateo 7:6). Finalmente, todos los demonios y las personas que los siguen serán arrojados a un lago de fuego y azufre (Apocalipsis 20:10, 15), una consecuencia de sus propias acciones. De

---

[7] En la parábola del hijo pródigo, Jesús describe al muchacho descarriado indicando que estaba alimentando cerdos, para significar que había llegado al mismo fondo de una vida pecaminosa, viéndose forzado a trabajar en la tarea propia del estrato más bajo de la sociedad. Este cuadro perturbó grandemente a los oyentes judíos.

acuerdo con el proverbio, "el perro vuelve a su vómito, y la puerca lavada a revolcarse en el cieno" (2 S. Pedro 2:22).

Pero Jesús también tenía una razón positiva para permitir esta catástrofe del colesterol. Lo que el diablo pensó que desvirtuaría la obra de Jesús en la zona en realidad sirvió para magnificar el milagro de la salvación. Los tres Evangelios sinópticos mencionan esta historia de los cerdos que se ahogaron, evidenciando cuán lejos se extendió la historia del loco. Los intentos del diablo de detener la obra de Dios a menudo tienen el resultado opuesto y se convierten en la mayor evidencia de los milagros divinos.

Vemos esta verdad en otras historias bíblicas: los cuerpos de los soldados egipcios que flotaron en la orilla del Mar Rojo confirmaron el milagro de la victoria final del Éxodo. Los cuerpos calcinados de los soldados que arrojaron a Sadrac, Mesac y Abed-nego al horno confirmaron el milagro de su supervivencia. Los huesos amontonados en el fondo del foso de los leones reforzó el milagro de la liberación de Daniel de esos grandes felinos. Y los soldados romanos que guardaban la tumba de Jesús se convirtieron en los primeros testigos, y los más apremiantes, de la resurrección.

Por lo tanto, cuando los dos mil cadáveres hinchados de los cerdos comenzaron a llegar a la costa de toda esa zona del Mar de Galilea, la historia de esta milagrosa liberación del endemoniado se multiplicó muchas veces, dando prueba del milagro a todos los que vivían en la región. "Y sabemos que a los que aman a Dios, todas las cosas les ayudan a bien" (Romanos 8:28).

En las páginas previas de esta sección, hemos visto la importancia de ir a Jesús tal como somos. El término bíblico para este primer paso de salvación es justificación. *Esto significa que cuando primero vamos a Jesús, él nos acepta, nos perdona, y nos mira como si nunca hubiéramos pecado.*

En las pocas páginas siguientes, cambiaremos nuestro énfasis para concentrarnos en el siguiente paso de salvación, la santificación. *¿Cómo permanecer con Jesús una vez que hemos ido a él? ¿Cómo vivir vidas santas que armonicen con nuestro compromiso cristiano? Saber cómo evitar y resistir la tentación es un componente muy importante en esta experiencia.*

Parte 2: Viviendo Como Jesús

"Por lo demás, hermanos míos, fortaleceos en el Señor, y en el poder de su fuerza. Vestíos de toda la armadura de Dios, para que podáis estar firmes contra las asechanzas del diablo. Porque no tenemos lucha contra sangre y carne, sino contra principados, contra potestades, contra los gobernadores de las tinieblas de este siglo, contra huestes espirituales de maldad en las regiones celestes"—Efesios 6:10-12.

Rompiendo las cadenas de la tentación

Cierto día, una joven alondra macho descubrió a un zorro que le canjearía gusanos por sus plumas. El trato fue de una pluma por dos gusanos. Al día siguiente, cuando la joven alondra estaba volando alto en el cielo con su sapientísimo padre, éste le dijo: "Sabes, hijo, nosotras las alondras debiéramos ser las más felices de todas las aves. ¡Mira nuestras gallardas alas! Nos elevan alto en el aire, cada vez más cerca de Dios".

Sección III: La Liberación Divina

Pero la joven ave no le oyó; todo lo que veía era un viejo zorro con gusanos. De modo que voló hasta el suelo, se sacó dos plumas de las alas, y tuvo una fiesta de gusanos. Esto ocurrió día tras día, hasta que eventualmente llegó el otoño y era tiempo de volar hacia el sur. Pero la joven alondra no podía volar más, habiendo canjeado el poder del vuelo por gusanos. La siguiente vez que fue vista la alondra, estaba avanzando a saltitos por la nieve, tratando de correr más rápido que un zorro.

Nosotros estamos constantemente tentados a canjear nuestras alas por gusanos. La Biblia nos amonesta a huir de la tentación (ver 1 Timoteo 6:11), pero muchos de nosotros nos arrastramos, esperando que nos alcance. Peor aun, algunas veces la tentación viene a través de una puerta que deliberadamente dejamos abierta.

Supóngase que accidentalmente usted se derrama gasolina sobre sus ropas, y que alguien que está cerca prende un fósforo. ¿A dónde iría? ¡En la dirección opuesta tan lejos y tan rápido como pudiera! Esa debería ser la actitud de un cristiano hacia la tentación. Pablo dijo: "Huid de la fornicación" y "huid de la idolatría" (1 Corintios 6:18; 10:14). Es un buen consejo: Huir del pecado, y no dejar una dirección remitente.

Aureliano Agustín observó: "El diablo es como un perro furioso que está encadenado. Es impotente para dañarnos cuando estamos fuera de su alcance. Pero una vez que entramos en su círculo de acción, nos exponemos nuevamente a sufrir heridas o daños".

No pase por alto este principio: Cuando usted huye de la tentación, vaya hacia Dios. Cuando haga eso, el diablo huirá de usted (Santiago 4:7). "Acercaos a Dios, y él se acercará a vosotros" (Santiago 4:8). Cuando usted sabe que algo es pecaminoso, no intercambie bromas con el diablo, porque él es el maestro de la racionalización; ¡así es como cayó Eva!

Me rompe el corazón cuando los cristianos tratan de justificar sus pecados. No hay límite para los argumentos que el diablo puede suplir. Tan pronto como usted se da cuenta que algo no es correcto, ¡huya! El valiente huye de la tentación; los insensatos flirtean con ella. José huyó cuando fue tentado por la esposa de su amo, y llegó a ser el gobernador de Egipto. Si es que viviremos y reinaremos con Cristo, también debemos aprender a huir de la tentación. Dwight Moody opinó: "Las excusas son la cuna… donde Satanás mece a los hombres para que se queden dormidos".

Toda tentación puede ser clasificada en tres áreas principales: "Todo lo que hay en el mundo, los deseos de la carne, los deseos de los ojos, y la vanagloria de la vida, no proviene del Padre, sino del mundo" (1 S. Juan 2:16). Los pecados clasificados como los deseos de la carne, los deseos de los ojos, y la vanagloria u orgullo de la vida son de la misma clase de pecados que asaltaron a Adán y Eva cuando cayeron en el Jardín del Edén: "Y *vio la mujer* que el árbol era bueno para comer, y que era *agradable a los ojos,* y árbol codiciable para alcanzar la sabiduría; y tomó de su fruto, y comió" (Génesis 3:6; la cursiva fue añadida).

Jesús enfrentó exitosamente estas mismas tres categorías de tentación en el desierto. El poder que los seres humanos perdieron en el Jardín es el poder que Jesús encontró en el desierto.

"Para el perezoso el camino está lleno de espinas"—Proverbios 15:19, NRV 2000.

"No seas vencido de lo malo, sino vence con el bien el mal"—Romanos 12:21.

Manténgase ocupado sirviendo a otros

Un proverbio italiano advierte: "El que trabaja es tentado por un demonio; el ocioso, por mil". Muchas personas odian estar ociosos. Esto es porque Dios nos creó para la actividad. Usted ha oído la expresión: "La mente ociosa es el taller del diablo". Esa no es una cita directa de la Biblia, pero Ezequiel 16:49, 50 se le aproxima: "He aquí que esta fue la maldad de Sodoma tu hermana: soberbia, saciedad de pan, y abundancia de ociosidad tuvieron ella y sus hijas… Y cuando lo vi las quité".

El pecado de Sodoma y Gomorra no fue simplemente perversión e inmoralidad sexual. El valle de Sodoma era pródigo en vegetación y tenía abundancia de comida. La vida era fácil para los habitantes. Lot se trasladó allí porque le ofrecía una vida de ocio. Pero cuando una persona no tiene nada que hacer, existe la posibilidad de que el diablo le ayudará al corazón carnal a urdir algo malo. Una persona ociosa tienta al diablo a que la tiente. "Mirad, pues, con diligencia cómo andéis, no como necios sino como sabios, aprovechando bien el tiempo, porque los días son malos" (Efesios 5:15, 16).

El pecado comienza en la mente humana, la que está diseñada para concentrarse principalmente en una cosa a la vez. Si nos mantenemos ocupados —especialmente concentrados en hacer algo bueno, como testificar del evangelio o ayudar a los pobres— no tenemos tiempo para pensar en algo malo. Un sabio consejero espiritual cierta vez señaló que la mejor manera de fortalecerse para resistir al diablo es mediante un servicio agresivo a otros. Una de las maneras para mantenerse al margen de dificultades es involucrarse agresivamente en servir a Jesús. Cuando, después de la caída, Dios le dijo a Adán: "Con el sudor de tu rostro comerás el pan", tenía el propósito de que la "maldición" fuese una bendición, al mantener a la gente ocupada y de esa manera fuera de problemas (Génesis 3:19).

A veces también dejamos la puerta completamente abierta para efectuar concesiones incorrectas cuando no llenamos el vacío dejado por los demonios que han sido expulsados y por los malos hábitos que hemos abandonado. He conocido a personas que han ganado la victoria sobre una adicción solo para reemplazarla con otra porque no encontraron un sustituto positivo. Jesús advirtió acerca de esto: "Cuando el espíritu inmundo sale del hombre, anda por lugares secos, buscando reposo; y no hallándolo, dice: Volveré a mi casa de donde salí. Y cuando llega, la halla barrida y adornada. Entonces va, y toma otros siete espíritus peores que él; y entrados, moran allí; y el postrer estado de aquel hombre viene a ser peor que el primero" (S. Lucas 11:24-26).

Si usted está luchando con un trastorno de la alimentación o con una adicción a los alimentos, usted no puede simplemente dejar de comer. El secreto es aprender a comer "lo que es bueno" (Isaías 55:2, NVI). Si usted tiene el problema de comer bocaditos de chocolate a lo largo del día, compre algunas uvas o almendras. ¿Ha tirado usted esos cigarrillos? Consiga una caja de mondadientes o algunas semillas de girasol, ¡pero no chocolates! "Vence con el bien el mal" (Romanos 12:21).

Si alguien lo ha insultado o usado cruelmente, no se vengue con el mal sino responda con bondad. Cuando un halcón es atacado por otros pájaros más pequeños, no contraataca. En cambio, se eleva más alto y más alto en círculos cada vez más amplios, hasta que sus atormentadores lo dejan solo. "Si tu enemigo tuviere hambre, dale de comer; si tuviere sed, dale de beber" (Romanos 12:20). Permanezca activo haciendo bien, porque aunque una buena oportunidad pueda llamar solo una vez, la tentación golpea constantemente en su puerta.

"Examinaos a vosotros mismos si estáis en la fe;
probaos a vosotros mismos"—2 Corintios 13:5.
"Vuestro cuerpo es templo del Espíritu Santo…
y… no sois vuestros"—1 Corintios 6:19.

Conózcase y cuídese

Un proverbio español ordena: "No seas un panadero si tu cabeza es de mantequilla". Cuando las personas se unen a la sociedad de los Alcohólicos Anónimos, primeramente tienen que admitir que son alcohólicos. Esta admisión puede representar un tremendo adelanto, porque para hacerlo deben reconocer su debilidad. De la misma manera, uno de los primeros pasos para llegar a ser cristianos es admitir que somos "adictos al pecado".

"Así que, el que piensa estar firme, mire que no caiga" (1 Corintios 10:12). La Biblia dice que no debemos confiar en nuestra propia fuerza. Debemos ser muy cautelosos cuando empezamos a pensar que tenemos control sobre cierta tentación y decimos: "No me va a molestar más. ¡He obtenido la victoria!" Es entonces cuando estamos especialmente expuestos a caer. Algunos cristianos incluso están orgullosos de que han vencido, pero solo están provocando para que el diablo los derribe. La noche cuando Jesús fue traicionado, le advirtió a Pedro: "De cierto te digo que tú, hoy, en esta noche, antes que el gallo haya cantado dos veces, me negarás tres veces" (S. Marcos 14:30). Jesús le estaba advirtiendo a Pedro que él no sabía cuán débil era.

Este peligro se extiende incluso a aquellos que están intentando ayudar a la persona que tiene una debilidad. Cuando los rescatadores están sacando a una persona de una corriente de agua, tienen que ser cuidadosos de que no los arrastre a ellos también. Siempre debemos estar en guardia para reconocer nuestras debilidades. "Hermanos, si alguno fuere sorprendido en alguna falta, vosotros que sois espirituales, restauradle con espíritu de mansedumbre, considerándote a ti mismo, no sea que tú también seas tentado" (Gálatas 6:1).

Usted también se sentirá más seguro para resistir el pecado si tiene cuidado de su cuerpo y de su mente. A menudo la tentación no viene en nuestros momentos más fuertes, sino durante los más débiles. Cuando estamos en el límite de nuestra fuerza, paciencia, amor y salud, somos tentados a conducirnos en forma anticristiana. Cuidado: Las tentaciones de Jesús comenzaron cuarenta días después de que empezó a ayunar. Estaba cansado y hambriento. Pedro también estaba cansado, habiendo permanecido en vela durante la noche, cuando negó a Jesús.

Todo, desde la falta de ejercicio hasta hormonas corporales no balanceadas, podría influir en nuestra capacidad para resistir las tentaciones básicas. Cuando estamos enfermos o nuestras reservas están agotadas, reaccionamos en forma negativa. La mayoría de las discusiones maritales ocurren al fin del día cuando uno o ambos esposos están cansados y hambrientos. Duerma las horas suficientes y coma buen alimento a horas regulares. Uno de mis autores favoritos también aconseja: "Por la indulgencia del apetito pervertido, el hombre pierde su poder para resistir la tentación". El consumo excesivo de dulces puede tener un efecto estimulante temporal, solo para ser seguido por sentimientos de depresión e irritabilidad.

De la misma manera, es un gran error pensar que podemos enfrentar al diablo en tiempos de tentación sin acumular primeramente las municiones de la Palabra de Dios en nuestra mente. Jesús hizo frente a cada tentación que se le impuso con las palabras. "Escrito está" (ver, por ejemplo, S. Mateo 4:4, 7, 10).

Jesús cuidó su mente conociendo la Palabra de su Padre. Si usted espera vencer al diablo en las batallas de la vida, necesita fortalecer su mente con la verdad de Dios. El rey David dijo: "En mi corazón he guardado tus dichos, para no pecar contra ti" (Salmo 119:11).

Cuando los soldados saben que están pasando por un campo minado, son muy cuidadosos en cuanto a dónde pisan. Podría ser que usted no siempre sea capaz de evitar la fatiga y el hambre, pero puede evitar discusiones delicadas o tareas exigentes durante esos momentos inestables. Jesús dijo: "El espíritu a la verdad está dispuesto, pero la carne es débil" (S. Mateo 26:41). Esto no significa que no debiéramos tratar de hacer todo lo que está en nuestro poder para mejorar nuestra salud y por medio de eso, nuestra firmeza moral. Una buena noche de descanso, un poco de ejercicio y un desayuno nutritivo pueden hacernos sentir que estamos listos para enfrentar a Goliat.

"Con estrategia se hace la guerra, y en la multitud de consejeros está la victoria"—Proverbios 24:6, NRV 2000.

"Entonces los discípulos, tomándole de noche, le bajaron por el muro, descolgándole en una canasta"—Hechos 9:25.

Siempre tenga un plan

A menudo tropezamos en el pecado porque cuando vemos venir la tentación, esperamos para ver qué podría ocurrir cuando llegue. Es mejor estar preparado. Proverbios 22:3 aconseja: "El prudente ve el peligro y lo evita; el inexperto sigue adelante y sufre las consecuencias" (NVI).

Un hombre sabio examina el camino para descubrir problemas potenciales. Si detecta a la distancia a una banda de ladrones, piensa: "Es mejor esconderme o cambiar de camino, ¡porque no quiero que me roben!" Pero el insensato dice: "¡Ah! Creo que hay bandidos más adelante en el camino. Me pregunto qué va a ocurrir cuando lleguen aquí".

Los cristianos a menudo hacen esto último con la tentación. Decimos: "Me pregunto si seré tentado al observar este programa, leer esta revista, o tomar esta bebida". Pero Jesús dijo: "Si tu ojo derecho te es ocasión de caer, sácalo, y échalo de ti; pues mejor te es que se pierda uno de tus miembros, y no que todo tu cuerpo sea echado al infierno" (S. Mateo 5:29).

Si hay una tentación particular que usted sabe lo derribará, tome cualesquiera medidas de prevención que pueda, no importa cuán desesperadas, para evitar ser vencido. Por ejemplo, si usted quiere dejar de fumar, evite amigos que fuman o lugares donde usted se sienta más inclinado a ser tentado. Por lo menos, ¡trace una vía de escape! Si su tentación es comer en exceso, decida colocar una cantidad apropiada de comida sobre su plato y dejar de comer cuando la termine. Millones entran al pecado a mordiscos, porque no piensan con anticipación.

Por supuesto, una de las mejores medidas posibles contra el pecado es saber adónde huir cuando la situación se vuelve demasiado candente para controlarla. Cuando subo a un avión, me fijo en la ubicación de las salidas de emergencia. No soy paranoico, solo prudente. Para mí, el mejor medio para vencer la tentación es reconocer que Dios ha provisto una vía de escape para cada uno de nosotros. Recuerde este pasaje: "No os ha sobrevenido ninguna tentación que no sea humana; pero fiel es Dios, que no os dejará ser tentados más de lo que podéis resistir, sino que dará también juntamente con la tentación la salida, para que podáis soportar" (1 Corintios 10:13).

Esas son noticias muy buenas. No tenemos que depender de nuestra fe temblorosa; ¡podemos depender de Dios porque él es fiel! De modo que cuando usted sea tentado, puede decir: "Dios está midiendo lo que permite que el diablo haga contra mí, y yo soy capaz de manejarlo por su gracia". Usted nunca tiene que decir: "No puedo seguir resistiendo al diablo más tiempo". Al decir esto, ¡usted está llamando a Dios un mentiroso!

Cuando los hijos de Israel estaban dejando Egipto, se encontraron atrapados. El ejército egipcio los estaba persiguiendo, y había montañas a ambos lados de ellos, y un mar en frente. Parecía una situación sin esperanza. Pero Dios había prometido ser fiel, y proveyó una vía de escape.

La Biblia está llena de historias como ésta, en las que la situación parecía desesperada pero Dios demostró ser fiel. Cuando parecía que no había comida para alimentar a la multitud que seguía a Jesús, Dios multiplicó los panes y los peces para satisfacerlos, justamente como había alimentado a Elías y a los israelitas. Él usará medios dramáticos de rescate para ayudarlo a usted también. Aun con las tentaciones más diabólicas frente a su puerta, recuerde estas historias y decida confiar en Dios y esperar su vía de escape.

"Siete veces cae el justo, y vuelve a levantarse"—Proverbios 24:16.

Sobreviva a una caída

He aquí un mensaje poderoso del reformador John Knox: "Tome nota de cuál ha sido la práctica del diablo desde el comienzo: enfurecerse cruelmente contra los hijos de Dios cuando Dios comienza a mostrarles su misericordia. Y por lo tanto no se maraville, muy amado, si esto le acontece a usted. Si Satanás se encoleriza y ruge contra usted, ya sea contra su cuerpo mediante la persecución, o internamente en su conciencia mediante una batalla espiritual; no se desanime, como si usted fuera menos aceptable en la presencia de Dios, o como que Satanás en cualquier momento podría prevalecer contra usted. ¡No!... Tengo buena esperanza, y mi oración será además que usted pueda ser fortalecido de tal modo, que el mundo y Satanás mismo puedan comprender y percibir que Dios está peleando su batalla".

Una de las claves más importantes para vencer la tentación es saber que si usted está en Cristo, tiene gran poder para resistir el mal (S. Judas 24). Morar en él es morar en su Espíritu. Y Gálatas 5:16 dice: "Andad en el Espíritu, y no satisfagáis los deseos de la carne".

Noé, Enoc y Abraham caminaron con Dios. Nosotros podemos hacer lo mismo hoy, postrándonos sobre nuestras rodillas para pedir fuerza. Antes que permitir que caigamos cuando suplicamos confiadamente su ayuda, Dios enviará a cada ángel del cielo para salvarnos del pecado. Dios nos ha hecho agentes morales libres, y el diablo no puede hacernos pecar. Pero debemos decidir seguir a Jesús en vez de las mentiras del diablo. Por lo tanto, por la gracia de Dios, usted y yo podemos resistir cada tentación.

Sin embargo, recuerde que no necesita darse por vencido si cae. Un proverbio chino dice: "Usted no se ahoga cayendo en el agua. Usted se ahoga quedándose allí". Muchas personas que caen, permanecen caídas. Dicen: "Oh, bien, ahora estoy perdido; no importa si me rindo ante cualquier otra tentación". Dios puede ayudarle a recuperar el territorio perdido, y él lo salvará de tentaciones futuras.

El diablo puede descorazonarlo con sus susurros malvados: "¡Yo te conozco! ¡Yo te tenté y tú caíste! Tú no eres bueno. Puedes llamarte cristiano pero eres meramente un hipócrita. En realidad, ¡tú ni siquiera estás salvado!"

Creo que la vida cristiana es progresiva. La Biblia promete: "Hijitos míos, estas cosas os escribo para que no pequéis; y si alguno hubiere pecado, abogado tenemos para con el Padre, a Jesucristo el justo" (1 Juan 2:1). Si usted peca —y todos lo hacemos—, no se dé por vencido. Si el diablo lo engaña y usted cae, no quede caído. No permita que sus fracasos del pasado sean una excusa para concesiones futuras. Dios puede ayudarle a vencer todas las cosas. Avance tan solo un día a la vez y un paso a la vez.

Por supuesto, el motivo más poderoso para resistir cualquier tentación es su amor a Dios. Usted sabe que el pecado hace sufrir a Dios, de modo que cuando usted sea tentado, necesita decir en voz alta: "No puedo hacer eso porque amo a Dios".

Erwin W. Lutzer dijo: "Nuestra respuesta a la tentación es un barómetro exacto de nuestro amor a Dios". Cuanto más ame a Jesús, menos dominio tendrán sobre usted las atracciones del diablo. Recuerde cuánto Jesús lo ama al recordar la cruz cuando usted es tentado, y luego retribuya ese amor resistiendo el mal que está ante usted.

Todos somos tentados, pero el Señor ha prometido que podemos ser vencedores mediante las "preciosas y grandísimas promesas" encontradas en las Escrituras. Jesús nos enseñará cómo vencer. El diablo no pudo hacer pecar a Jesús, ni puede hacernos pecar a nosotros. Dé gracias a Dios, "que nos da la victoria por medio de nuestro Señor Jesucristo" (1 Corintios 15:57). Pídale el poder vencedor, y sumérjase gozosamente en las páginas de su Palabra.

"Y hallaron al hombre de quien habían salido los demonios, sentado a los pies de Jesús"—S. Lucas 8:35.

Sentados a sus pies

El estar sentado a los pies de alguien es una postura de sumisión. Esta posición también representa una disposición a aprender. Cuando el endemoniado se sentó a los pies de Jesús, estoy seguro que Jesús le estaba enseñando cómo evitar los errores que lo habían conducido a su estado deplorable.

María Magdalena, de quien Jesús echó siete demonios, también reconoció su necesidad de pasar tiempo metódicamente sentada a los pies de Jesús para evitar estar sometida a las tentaciones que azotan a cada alma humana. ¡Es una historia extraordinaria!

"[Jesús] entró en una aldea; y una mujer llamada Marta le recibió en su casa. Esta tenía una hermana que se llamaba María, la cual, sentándose a los pies de Jesús, oía su palabra. Pero Marta se preocupaba con muchos quehaceres, y acercándose, dijo: Señor, ¿no te da cuidado que mi hermana me deje servir sola? Dile, pues, que me ayude. Respondiendo Jesús, le dijo: Marta, Marta, afanada y turbada estás con muchas cosas. Pero solo una cosa es necesaria; y María ha escogido la buena parte, la cual no le será quitada" (S. Lucas 10:38-42).

Podía oír la bicicleta de tamaño gigante, de tres ruedas, del Hermano Harold chirriar detrás de mí mientras caminaba por la calle. El Hermano Harold era una leyenda viviente entre los jóvenes de Palm Springs. Era un santo de setenta años, un judío cristiano, que sabía cómo vivir y compartir del evangelio.

El día del Hermano Harold comenzaba a las cuatro de la mañana con dos horas de estudio de la Biblia y oración, seguidas de unas pocas horas en la calle entregando folletos. Luego iba al hospital. Como un capellán que se había nombrado a sí mismo, visitaba los cuartos y compartía con los pacientes un pasaje o dos de la Escritura de contenido animador, todo de memoria. Nunca olvidaré cómo su voz temblaba con reverencia cuando citaba la Biblia. Cierta vez en una reunión de oración temprano por la mañana, me pareció ver su rostro viejo y barbudo brillar mientras oraba.

En ese entonces yo era un cristiano relativamente nuevo, todavía luchando para separar mi antigua filosofía *hippie* de las verdades de la Biblia. Frecuentemente confuso, me estaba sintiendo algo fracasado en mi experiencia cristiana. El Hermano Harold siempre tenía una manera de saber quién necesitaba aliento.

—¡Qué día glorioso nos ha dado Dios! —dijo mientras se puso a mi lado. Siempre era tan positivo.

—Sí, un lindo día —respondí. No debo haber hablado con mucha convicción, porque me estudió por un momento con una expresión afectuosa pero preocupada.

—¿Cuánto tiempo puedes aguantar la respiración, Doug? —me preguntó finalmente el Hermano Harold con un destello en sus ojos.

Su pregunta me sorprendió, pero yo raramente desaprovechaba una oportunidad para fanfarronear. En la escuela había jugado un pequeño juego de ver cuánto tiempo podía sostener mi respiración mientras esperaba que sonase la campana para las clases. De modo que dije jactanciosamente:

—Puedo retener mi aliento por cuatro minutos, si primero inspiro muy profundamente".

—Entonces no deberías andar por más tiempo que eso sin orar —dijo—. La Palabra de Dios nos dice: "Orad sin cesar".

Luego preguntó:

—¿Cuán a menudo comes?

Ya estaba comenzando a darme cuenta hacia dónde se dirigía.

—Unas dos o tres veces por día —dije en forma vacilante.

—Bien, esa es la frecuencia con la cual debieras leer o meditar en la Palabra de Dios. ¿Qué le ocurrirá a tu cuerpo si nunca lo ejercitas, Doug?

—Supongo que me debilitaré y me volveré haragán —respondí.

—Correcto —dijo el Hermano Harold—, y eso es lo que ocurrirá con tu fe si no la usas y compartes.

Mientras se alejaba pedaleando, el Hermano Harold me dijo sobre su hombro:

—Las mismas leyes que se aplican a tu cuerpo físico también se aplican a tu salud espiritual.

Ese día, hace treinta años en Palm Springs, el Hermano Harold me señaló el arma secreta para el cristiano. Esa arma es nuestra devoción personal: el estudio de la Biblia, la oración y la testificación. La práctica de tener devociones personales no es un arma secreta porque alguien haya tratado de mantenerla oculta. Más bien, es desconocida porque tantas personas la han descuidado. Necesitamos pasar tiempo a los pies de Jesús.

Hemos hablado acerca de prepararnos para evitar la tentación cuando llega, y hemos aprendido que desearemos estar preparados para enfrentar las tentaciones que encontraremos solo cuando verdaderamente amemos a Dios. Para amar a Dios, debemos conocerlo. Exploraremos esto un poco más en las páginas siguientes.

"Y sanó a muchos que estaban enfermos de diversas enfermedades, y echó fuera muchos demonios; y no dejaba hablar a los demonios, porque le conocían"—S. Marcos 1:34.

Conociendo al Señor

En una encuesta Gallup de 1983, se les preguntó a los norteamericanos: "¿Quién piensa usted que es Jesús?" Alrededor del setenta por ciento de los entrevistados dijeron que Jesús no era meramente otro ser humano. Cuarenta y dos por ciento contestó que él era Dios entre los hombres. Veintisiete por ciento sentía que Jesús era solo humano, pero divinamente llamado. Otro nueve por ciento creía que Jesús era divino porque encarnaba lo mejor de la humanidad. Sin embargo, 81 por ciento de los norteamericanos se consideraban cristianos.

Muchos de los que estaban en ese 81 por ciento en la encuesta podrían ser como la gente de la que estaba hablando Jesús cuando dijo: "Muchos me dirán en aquel día: Señor, Señor, ¿no profetizamos en tu nombre, y en tu nombre echamos fuera demonios, y en tu nombre hicimos muchos milagros? Y entonces les declararé: Nunca os conocí; apartaos de mí, hacedores de maldad" (S. Mateo 7:22, 23). Están perdidos a pesar de sus creencias.

La Biblia indica claramente que ganamos la salvación no por hacer buenas obras sino por algo muy diferente. El Señor advirtió que muchos cometerían el error fatal de pensar que las buenas obras garantizan la salvación. Es difícil creer que siquiera es posible hacer buenas obras para Jesús sin tener una relación salvadora con él. En efecto, lo que Pablo le escribió a Tito parece aplicable a aquellas personas que no tienen una relación con el Señor: "Profesan conocer a Dios, pero con los hechos lo niegan, siendo abominables y rebeldes, reprobados en cuanto a toda buena obra" (Tito 1:16).

Aunque la Biblia es clara de que no somos salvados por las obras, también dice claramente que seremos condenados o recompensados en base a lo que hayamos hecho: "Fueron juzgados los muertos por las cosas que estaban escritas en los libros, según sus obras" (Apocalipsis 20:12). "He aquí yo vengo pronto, y mi galardón conmigo, para recompensar a cada uno según sea su obra" (Apocalipsis 22:12).

En el juicio, muchos sostendrán que conocen a Dios, pero sus obras revelarán una historia diferente. La clave, entonces, es que una vez que realmente conocemos a Dios, vendrán las buenas obras genuinas por las cuales seremos recompensados. ¿Pero cómo llegamos a conocerlo? ¿Cómo nos sentamos a los pies de Jesús a semejanza del endemoniado y de María mientras Cristo está en el cielo?

George Mueller dijo esto acerca del Libro de Dios: "El vigor de nuestra vida espiritual estará en proporción exacta al lugar que se le da a la Biblia en nuestra vida y pensamientos". San Juan 17:3 afirma: "Esta es la vida eterna: que te conozcan a ti, el único Dios verdadero, y a Jesucristo, a quien has enviado". Este conocimiento que salva no es una comprensión casual de la doctrina bíblica. El diablo entiende, pero eso no lo salvará. Santiago 2:19 dice: "También los demonios creen, y tiemblan".[1]

De modo que conocer a Dios en esta manera debe significar que tenemos una relación amante con él. "Y te desposaré conmigo en fidelidad, y conocerás a Jehová" (Oseas 2:20). No podemos obedecer realmente al Señor a menos que primeramente lo amemos, que es la razón por la cual Jesús dijo: "Si me amáis, guardad mis mandamientos" (S. Juan 14:15).[2]

Es lo mismo con tener fe; ¿dónde la obtenemos? Pablo nos dice: "Así que la fe es por el oír, y el oír, por la palabra de Dios" (Romanos 10:17).

La fórmula que cambia vidas es muy simple: Para obedecer a Dios, debemos amarlo. Para amar a Dios, debemos conocerlo. Y para conocerlo, debemos pasar tiempo metódicamente con él, a sus pies, aprendiendo quién es él realmente. Esto es cierto con cualquier relación: para conocer a la gente o confiar en ella, debemos primeramente tomar tiempo para comunicarnos con ellos. Ellos nos hablan y nosotros les hablamos a ellos.

Dios nos habla a través de su Palabra, y nosotros le hablamos a través de la oración. Cuanto mejor conozcamos a Dios, más lo amaremos. Cuanto más le amemos, mejor lo serviremos. El servicio genuino a Dios solo puede surgir de un conocimiento genuino que tengamos de él. "Por sus frutos los conoceréis" (S. Mateo 7:20).

Un príncipe prominente decidió estar presente en la ejecución de un notorio criminal. Se sintió profundamente conmovido al observar la angustia que se veía en el rostro del hombre condenado y se sintió impulsado a preguntar:

—¿Hay algún pedido que deseas hacer antes de morir?

---

1   Con todo, es asombroso considerar que los demonios siempre parecían reconocer a Jesús. Aquellos que poseían al endemoniado ciertamente lo reconocían. El demonio, "clamando a gran voz, dijo: ¿Qué tienes conmigo, Jesús, Hijo del Dios Altísimo?" (S. Marcos 5:7). Desafortunadamente, como ya lo hemos visto, muchos que pertenecen al pueblo de Jesús no lo conocen tan bien.

2   Un poco más tarde, Jesús dijo: "El que tiene mis mandamientos, y los guarda, ése es el que me ama" (S. Juan 14:21). El hecho de que Jesús repitiera este pensamiento acerca de la observancia de los mandamientos sugiere que lo consideraba muy importante. (Ver también 1 Juan 2:4.)

—Sí, por favor. Quisiera beber un vaso de agua —respondió el hombre.

Fue provista el agua, pero el criminal estaba temblando tan marcadamente que le resultaba muy difícil llevar la copa a sus labios. Al ver esto, el príncipe le dijo:

—No temas; toma tu tiempo. Se te perdonará la vida hasta que bebas esa agua.

Ante esa declaración, el prisionero hizo una pausa, arrojó el agua al suelo y dijo con gran confianza:

—Le acepto su palabra.

El príncipe no se disgustó ni se enojó ante la presunción del hombre. Ordenó que el prisionero fuese libertado, complacido de que aun este hombre indigno y desmerecedor confiase tanto en la autoridad de su palabra.

No podemos exagerar la importancia de creer simplemente en la promesa de Dios de que su Palabra nos salva. Es nuestro privilegio beneficiarnos con su gran misericordia. La Escritura nos dice que Dios "nos ha dado preciosas y grandísimas promesas, para que por ellas llegaseis a ser participantes de la naturaleza divina, habiendo huido de la corrupción que hay en el mundo a causa de la concupiscencia" (2 Pedro 1:4).

"Levantándose muy de mañana, siendo aún muy oscuro, salió [Jesús] y se fue a un lugar desierto, y allí oraba"—S. Marcos 1:35.

Pan fresco

En la última década, Krispy Kreme, Inc., llegó a tener un éxito notable en los Estados Unidos debido al compromiso de la compañía de cocinar rosquitas fritas frescas temprano cada mañana. Antes que vender un producto viejo, se deshacían de él.

El pan fresco es también crucial para el desarrollo cristiano. La mañana es el mejor momento para conocer a Dios. Este principio fue grabado profundamente en los hijos de Israel a través del don divino del maná. Descendía del cielo temprano por la mañana, seis días por semana. Si esperaban demasiado, el maná se evaporaba. "Y lo recogían cada mañana, cada uno según lo que había de comer; y luego que el sol calentaba, se derretía" (Éxodo 16:21).

De la misma manera, si esperamos demasiado para tener nuestra devoción, las preocupaciones y presiones del día atraparán nuestra atención antes de que nos dirijamos al Señor. ¡Por lo tanto, no permita que el maná se derrita! Y recuerde, cuanto más ocupados estamos y más tenemos que hacer, mayor es nuestra necesidad de dedicar tiempo a estudiar el Libro de Dios y a orar.

Jesús, nuestro ejemplo perfecto, practicó la devoción matutina. Consideró esto tan esencial para la vida como el alimento físico, y en algún sentido, aun más importante. "Del mandamiento de sus labios nunca me separé; guardé las palabras de su boca más que mi comida" (Job 23:12). Si a usted se le ha hecho tarde para ir al el trabajo y debe escoger entre su cereal o la devoción personal, diría que mientras la fibra es importante, no lo hará abstenerse del pecado. "Fueron halladas tus palabras, y yo las comí; y tu palabra me fue por gozo y por alegría de mi corazón" (Jeremías 15:16).

El Padrenuestro contiene esta línea: "El pan nuestro de cada día, dánoslo hoy" (S. Mateo 6:11). Debemos considerar esa frase como aplicándose más al pan espiritual que al pan que se hornea. Cuando Jesús fue tentado en el desierto después de cuarenta días de ayuno, le dijo al diablo: "Escrito está: No solo de pan vivirá el hombre, sino de toda palabra de Dios" (S. Lucas 4:4).

No puedo explicarlo, pero parece que el alimento espiritual le dio a Jesús no solo fuerza espiritual, sino también fuerza física. San Juan 4:31, 32 dice así: "Los discípulos le rogaban, diciendo: Rabí, come. Él les dijo: Yo tengo una comida que comer, que vosotros no sabéis". Elías también recibió fuerza física sobrenatural al comer el pan celestial que un ángel preparó: "Y volviendo el ángel de Jehová la segunda vez, lo tocó, diciendo: Levántate y come, porque largo camino te resta. Se levantó, pues, y comió y bebió; y fortalecido con aquella comida caminó cuarenta días y cuarenta noches hasta Horeb, el monte de Dios" (1 Reyes 19:7, 8). Usted también podría descubrir que si se levanta un poco más temprano para tener más tiempo devocional con Dios, tendrá más energía a lo largo del día.

Aunque cubrimos algo de esto en la última sección, vale la pena repetirlo: Si queremos derrotar al enemigo que está siempre listo para asaltarnos, necesitamos la misma arma secreta que Jesús usó. Se la describe adecuadamente en Efesios 6:17: "Tomad... la espada del Espíritu, que es la palabra de Dios".

Todos necesitamos y queremos desesperadamente tener a Jesús morando en nuestros corazones. ¿Cómo conseguimos que esté allí? Otro nombre para Jesús es "el Verbo" o la Palabra. Cuando estamos leyendo la Palabra, estamos invitando directamente a Jesús a nuestros corazones y mentes. "Dentro de mi corazón he atesorado Tu palabra, para no pecar contra Ti" (Salmo 119:11, *Ediciones Sigal*).

Puesto que Jesús es la Palabra, ¡él es también el arma secreta! Nuevamente, el principio es que a medida que pasemos más tiempo con Jesús a través de la oración y el estudio de la Biblia, lo conoceremos mejor y por lo tanto lo amaremos más. Y así como nuestra reacción natural es hablar acerca de aquellos a quienes amamos, de la misma manera nos resultará más natural contarles a otros, tanto enemigos como amigos, acerca de nuestro Señor. En consecuencia, al compartir nuestra fe con otros, nuestra fe se fortalecerá, así como un músculo es fortalecido por la actividad.

Más amor, más testificación, mejor entrega, más energía, hasta menos depresión, todo esto y mucho más viene en una reacción en cadena directa que comienza cuando usamos el arma secreta de la devoción personal. "Ciertamente, la palabra de Dios es viva y poderosa, y más cortante que cualquier espada de dos filos. Penetra hasta lo más profundo del alma y del espíritu, hasta la médula de los huesos, y juzga los pensamientos y las intenciones del corazón" (Hebreos 4:12, NVI).

"Si algo pidiereis en mi nombre, yo lo haré"—S. Juan 14:14.

Jesús contesta la oración

Un hombre le pidió a Alejandro Magno que le diese una dote a cambio de la mano de su hija en matrimonio. El gobernante consintió y le dijo que le pidiese a su tesorero la suma que quisiera. De modo que él fue y pidió una cantidad enorme.

El tesorero se sobresaltó y dijo que no podía darle eso sin una orden directa. Yendo a Alejandro, el tesorero arguyó que aun una fracción pequeña del dinero solicitado serviría sobradamente para el propósito deseado. "No —replicó Alejandro—, deja que lo tenga todo. Me gusta esa persona. Me honra. Me trata como a un rey y demuestra por lo que pide que cree que yo soy rico, poderoso y generoso".

Jesús contestó el ruego callado del endemoniado pidiendo liberación. Contestó las oraciones de los habitantes de Gadara cuando le pidieron que se fuese. Hasta contestó las "oraciones" de los demonios cuando pidieron entrar en los cerdos. Esto me hace preguntar: ¿Por qué oramos tan poco? "De igual manera el Espíritu nos ayuda en nuestra debilidad; pues qué hemos de pedir como conviene, no lo sabemos, pero el Espíritu mismo intercede por nosotros con gemidos indecibles" (Romanos 8:26).

Una de las mejores observaciones sobre la oración viene del libro *El camino a Cristo*: "Las tinieblas del malo cercan a aquellos que descuidan la oración. Las tentaciones secretas del enemigo los incitan al pecado; y todo porque ellos no se valen del privilegio de orar que Dios les ha concedido. ¿Por qué los hijos e hijas de Dios han de ser tan remisos para orar, cuando la oración es la llave en la mano de la fe para abrir el almacén del cielo, donde están atesorados los recursos infinitos de la Omnipotencia? Sin oración incesante y vigilancia diligente corremos el riesgo de volvernos indiferentes y de desviarnos del sendero recto. Nuestro adversario procura constantemente obstruir el camino al propiciatorio, para que no obtengamos, mediante fervientes súplicas y fe, gracia y poder para resistir la tentación".[3]

---

3   Elena G. de White, *El camino a Cristo* (Mountain View, California: Pacific Press Publishing Association, 1961), p. 95.

Un individuo que había crecido en la ciudad compró una granja y una vaca lechera. Estando cierto día en el negocio de alimentos para animales, se quejó de que su vaca había dejado de dar leche.

—¿Está usted alimentándola correctamente? —preguntó el dueño.

—Estoy alimentándola exactamente con lo que usted me ha estado vendiendo —dijo el hombre.

—¿La está ordeñando cada día a horas regulares?

—No exactamente. Si yo solo necesito 0,17 a 0,23 litro (6 a 8 onzas) de leche para el desayuno, voy y consigo eso y dejo que la vaca se guarde el resto.

Por supuesto, no funciona de esa manera. Cuando usted está ordeñando vacas, toma todo lo que hay allí o eventualmente no tiene nada. Eso es también cierto en cuanto a la presencia de Dios.

Debemos orar pidiendo que el Espíritu de Dios llene nuestros corazones hasta que estén rebosando de "palabra buena" (Salmo 45:1).

"Hallaron al hombre de quien habían salido los demonios… vestido, y en su cabal juicio"—S. Lucas 8:35.

Ropas nuevas

Usted probablemente ha oído el cuento de Hans Christian Andersen, "Las Ropas Nuevas del Emperador". Es la historia de dos pillos que sostenían ser sastres muy talentosos y que se aprovecharon de un emperador muy vanidoso. Decían que habían inventado un método para tejer una tela tan liviana y fina que parecía invisible a todos los que eran demasiado estúpidos para apreciar su calidad.

Eventualmente le presentan al emperador lo que ellos dicen que es una hermosa prenda de vestir, la cual, por supuesto, él no puede ver. No queriendo parecer estúpido, sin embargo, pretende admirar su fina confección y hermosos colores. Los pillos animan al emperador a pasear por la ciudad para exhibir su asombrosa vestidura. Él lo hace, y la gente que ha oído acerca del material especial halagan al emperador por sus nuevas ropas porque no quieren parecer tampoco unos insensatos. Finalmente, un niño honesto señala lo obvio: "¡Miren! ¡El emperador está desnudo!"

Así como hay una relación entre estar sentado a los pies de Jesús y estar con el juicio cabal, de la misma manera hay una conexión igualmente fuerte entre estar sentado a sus pies y estar vestido. "Porque tú dices: Yo soy rico, y me he enriquecido, y de ninguna cosa tengo necesidad; y no sabes que tú eres un desventurado, miserable, pobre, ciego y desnudo" (Apocalipsis 3:17).

Ya hemos discutido el significado espiritual de la desnudez, pero todavía podríamos naturalmente preguntar: "¿De dónde consiguió el endemoniado sus ropas?"

Pienso que el mismo que le dio pieles a Adán y Eva se sacó su manto para cubrir la vergüenza de este hombre desnudo. Así como Elías colocó su manto sobre los hombros de Eliseo, así como Jacob le dio un manto real a José, así como el padre cubrió los andrajos sucios de su hijo pródigo, creo que Jesús cubrió a este hombre con su propio manto.

Esta imagen es un símbolo para usted y para mí de que Jesús nos limpiará de nuestra culpa y vergüenza, y nos cubrirá con su justicia. "Todos nosotros somos como suciedad, y todas nuestras justicias como trapo de inmundicia" (Isaías 64:6). Solo cuando Jesús nos da su justicia estamos nosotros verdaderamente en nuestro juicio cabal.

Como el ciego Bartimeo, debemos levantarnos, poner a un lado nuestros mantos raídos, e ir a Jesús (S. Marcos 10:50). Un profeta del Antiguo Testamento usa esta misma imagen para describir cómo Dios cubre nuestros pecados: "Y mandó a los que estaban delante de él, diciendo: Quitadle esas vestiduras viles. Y a él le dijo: Mira que he quitado de ti tu pecado, y te he hecho vestir de ropas de gala" (Zacarías 3:4).

"Toda la gente de la región de Gerasa comenzó entonces a rogar a Jesús que se fuera de allí, porque tenían mucho miedo. Así que Jesús entró en la barca y se fue"—S. Lucas 8:37, Dios Habla Hoy.

Rechazando a Jesús

En 1962, las autoridades de correos de los Estados Unidos rechazaron una estampilla especial de Navidad porque sugería una cruz cristiana. Sin embargo, el diseño sometido simplemente mostraba una vela, enmarcada por una guirnalda, ardiendo en una ventana. Existía la preocupación entre los críticos hipersensibles de que la gente podría pensar que la madera en los cristales de la ventana representaba una cruz. Cuán diferente de la actitud de las autoridades postales setenta años antes. En aquel entonces emitieron una estampilla de dos centavos que mostraba a Colón plantando una cruz en el Nuevo Mundo. Esa estampilla fue emitida el 12 de octubre de 1892, en el 400º aniversario del evento.

Esta historia describe exactamente una realidad importante: El mundo generalmente rechazará la cruz y a aquellos que la llevan. "La palabra de la cruz es locura a los que se pierden; pero a los que se salvan, esto es, a nosotros, es poder de Dios" (1 Corintios 1:18).

El cementerio en la costa deprimente de Decápolis representa el mundo condenado, el cual, en su totalidad, ha rechazado a Jesús. Como la multitud en la playa que le pidió que se fuese, como la multitud que rechazó a Jesús en su juicio y clamó por Barrabás, ellos prefirieron a un loco antes que al Señor. Ésta es una evidencia profunda de que estamos viviendo bajo la maldición del pecado. De modo que el Salvador zarpó. Sin embargo, no abandonó a la gente porque lo habían rechazado. Dejó a un representante para que continuase testificando ante ellos y demostrando cómo él salva.

¿Notó usted que aquellos que no habían experimentado el amor de Jesús fueron los que querían que se fuese y que aquel que había sentido su poder deseaba quedarse con él? La gente que ha experimentado la redención radical no preguntará: "¿No ha terminado todavía el culto?" Como María Magdalena, se aferrarán a los pies de Jesús, y como Jacob, abrazarán al Señor y dirán: "No te dejaré, si no me bendices" (Génesis 32:26).

La solemne verdad es que cuando alguien le pide a Jesús que se vaya, él se irá. Él es cortés; no impondrá su presencia a nadie. Golpea a la puerta y llama, pero no violará nuestra libertad de elección.

Charles Spurgeon hizo este comentario: "Al viajar entre los Alpes, uno ve una pequeña cruz negra plantada sobre una roca o en el borde de un arroyo o al costado de la carretera para marcar el lugar donde alguien encontró una muerte repentina por accidente. Estos son recordativos solemnes de nuestra mortalidad, pero conducen nuestra mente aun más allá. Porque si pudieran de esa manera indicarse manifiestamente los lugares donde los hombres sellan su suerte para la segunda muerte, ¡qué escena presentaría este mundo! Aquí el monumento recordativo de un alma arruinada por ceder a una tentación inmunda, allí una conciencia endurecida por el rechazo de una advertencia final, y más allá un corazón convertido en piedra para siempre por resistir la última tierna apelación de amor".

Cuando la gente de Decápolis comenzó a relacionar los eventos del día, no solo la destrucción de los cerdos sino también la liberación del endemoniado, comenzaron a sentir que había Alguien mucho más impresionante, mucho más temible, que los demonios que en un tiempo poseyeron al hombre ahora lúcido. Yo sospecho que ellos habían tratado con el endemoniado en muchas ocasiones, encadenándolo o echándolo de su presencia, e inexplicablemente, decidieron tratar a Jesús en gran medida en la misma manera.

Es irónico que mientras que el endemoniado no quería que Jesús dejara el país, los demás en ese lugar no querían que él se quedase. Es una de las pocas ocasiones en la que un milagro alejó a la gente de Jesús en vez de acercarla. Parecería que esta gente no tenía expectativas mesiánicas y no quería tener nada que ver con Alguien que tenía un poder tan extraordinario, un poder sobre el cual ellos no tenían control.

Cierta vez Cary Grant iba caminando por la calle, y encontró a una persona cuyos ojos se clavaron en él con emoción. El hombre dijo:

—Espere un momento, usted es... usted es; ¡yo sé quién es usted! No me diga... uh, Rock Hud. No, usted es...

Grant pensó que debía ayudar a este admirador que estaba luchando para recordar su nombre, de modo que terminó la frase del hombre:

—Cary Grant.

—¡No, ése no es! Usted es…—dijo el fulano entusiasmado.

Allí estaba Cary Grant, identificándose con su propio nombre, pero el individuo tenía a otra persona en mente.

Juan dice de Jesús: "En el mundo estaba, y el mundo por él fue hecho; pero el mundo no le conoció" (S. Juan 1:10). Aun cuando Jesús se identificó como quien era —el Hijo de Dios—, la respuesta no fue un reconocimiento amable sino más bien un rechazo y la crucifixión.

"Mirad mis manos y mis pies, que yo mismo soy"—S. Lucas 24:39.

"Si alguno quiere venir en pos de mí, niéguese a sí mismo, tome su cruz cada día, y sígame. Porque todo el que quiera salvar su vida, la perderá; y todo el que pierda su vida por causa de mí, éste la salvará"—S. Lucas 9:23, 24.

Cicatrices que hablan, muerte que sana

Adoniram Judson, el renombrado misionero a Birmania, soportó incontables penurias mientras trataba de alcanzar a los perdidos para conducirlos a Cristo. Durante siete años angustiosos sufrió hambre y privaciones. Durante esos años fue arrojado a la Prisión Ava y por 17 meses fue maltratado en forma increíble. Como resultado, por el resto de su vida llevó las marcas terribles causadas por las cadenas y grillos con los que había sido cruelmente atado.

Impávido, después de ser soltado pidió permiso para entrar en otra provincia en la que podría reanudar la predicación del evangelio. El gobernante, un ateo, negó indignadamente su pedido, diciendo: "Mi pueblo no es tan tonto como para escuchar cualquier cosa que un misionero pueda *decir*, pero me temo que podría impresionarse con sus *cicatrices* y volverse a su religión".

Sospecho que aun después que Jesús liberó al endemoniado de sus cadenas, éste todavía llevaba en sus miembros las cicatrices de sus muchos años de estar poseído. En un sentido, las cicatrices eran un testimonio de la gracia de Dios, así como las cicatrices de Jesús nos recordarán de su amor sacrificador por la eternidad. El hecho de que las cicatrices permanezcan es también un recordativo solemne de que mientras Dios perdona todos nuestros pecados, los resultados de nuestras elecciones desafortunadas podrían no revertirse en esta vida.

Hace pocos años, Karla Faye Tucker llegó a ser la primera mujer ejecutada en Texas desde la Guerra Civil. Mientras estaba en el pabellón de la muerte por un crimen horrible, ella experimentó lo que pareció ser una conversión completa a Cristo. Se volvió una prisionera modelo y hasta fue perdonada por la familia de su víctima. Pero a pesar de todo se le dio su inyección letal.

No podemos ignorar que el hecho de aceptar a Jesús no siempre quita las consecuencias de nuestros pecados ni borra las cicatrices. Los resultados de nuestros pecados a veces duran más allá de nuestro perdón. La salvación que Jesús le prometió al ladrón que estaba en la cruz junto a él fue la liberación de la penalidad última por el pecado, no de todas sus consecuencias temporales. Jesús no sacó al ladrón de la cruz, pero sí lo salvó.[4] En esencia, este ladrón fue crucificado con Cristo.

Para el endemoniado, la nueva vida de seguir a Jesús comenzó en una tumba.[5] Pablo escribió acerca de esta experiencia de muerte y renacimiento: "Con Cristo estoy juntamente crucificado, y ya no vivo yo, mas vive Cristo en mí; y lo que ahora vivo en la carne, lo vivo en la fe del Hijo de Dios, el cual me amó y se entregó a sí mismo por mí" (Gálatas 2:20).

¿Qué significa estar crucificado con Cristo?

Como una broma, un amigo mío me envió un cupón obsequio para "Una visita gratuita al infame Dr. Jack Kevorkian". Este es el hombre también conocido por el apodo morboso de "el Dr. Muerte". Ha

---

4   Podemos agradecer a Dios que en su misericordia a veces altera nuestras circunstancias y suaviza las consecuencias de nuestras malas decisiones.

5   María también corrió desde un cementerio con nueva vida, regocijándose en compartir las buenas nuevas.

llegado a ser popular porque muchas personas están tan cansadas de sufrir que prefieren cometer suicidio, en vez de continuar viviendo con tanto dolor.

En cierto sentido, una forma de suicidio es la solución para poder seguir a Jesús exitosamente. No es el suicidio físico, sino el suicidio del yo. Pablo escribió: "El que ha muerto, queda libre del pecado" (Romanos 6:7, NVR 2000). La gente muerta no se ofende ni pierde su dominio propio. La gente muerta no se comporta egoístamente ni guarda amargura o rencor. Dietrich Bonhoeffer observó: "Cuando Cristo llama a un hombre, le ordena que venga y muera".

Aquellos que son de Cristo han crucificado la carne con todas sus sucias pasiones y deseos mundanales. "Así también vosotros, consideraos muertos al pecado, pero vivos para Dios en Cristo Jesús, Señor nuestro" (Romanos 6:11). A. W. Tozer dijo: "El hombre con una cruz no controla más su destino; perdió el control cuando tomó su cruz. Esa cruz llegó a ser inmediatamente para él un interés totalmente absorbente, una interferencia irresistible. No importa qué desee hacer, no hay sino una cosa que puede hacer; a saber, avanzar hacia el lugar de la crucifixión".

Un pastor le estaba mostrando a un compañero de ministerio la cruz flamante que su iglesia había colocado encima de su torre. "Esa cruz allí nos costó diez mil dólares", dijo el pastor con el entusiasmo reflejado en su cara. "Bien, entonces los han estafado —respondió el otro ministro—. Hubo un tiempo cuando los cristianos podían conseguirlas gratuitamente".

A un hombre que buscaba la salvación, Jesús le dijo: "Una cosa te falta: anda, vende todo lo que tienes, y dalo a los pobres, y tendrás tesoro en el cielo; y ven, sígueme, tomando tu cruz" (S. Marcos 10:21).

"Entonces toda la multitud… le rogó que se marchase de ellos, pues tenían gran temor"—S. Lucas 8:37.

Una tormenta de temor

Me resultó divertido leer que el presidente Benjamin Harrison y su esposa tenían tanto temor del sistema eléctrico moderno que se había instalado en la Casa Blanca que no se atrevían a tocar los interruptores. Si no había criados alrededor para apagar las luces cuando iban a la cama, dormían con las luces prendidas.

En las historias del cruce del mar y del endemoniado, todos excepto Jesús estaban enredados con hilos de temor. Los discípulos tenían miedo de la tormenta, solo para sentir temor de Jesús cuando calmó el mar. Después que Jesús reprendió la tormenta, se dirigió a los discípulos y los reprendió por su temor e incredulidad. Y había mucho más temor en todo el incidente. Los discípulos también temían al endemoniado. Los demonios tenían temor de Jesús. Los cuidadores de los cerdos sentían temor de los cerdos poseídos por los demonios, y los habitantes del lugar estaban temerosos de Jesús.

Al calmar la violenta tormenta y al loco delirante, Jesús demostró que es el Señor de toda la creación, tanto del mundo físico como espiritual. No solo eso; sus acciones trajeron paz y mostraron que él es sumamente compasivo. ¿Qué tememos, entonces, muchos de nosotros?

Por varios años, John Wesley, el fundador de la Iglesia Metodista, dudaba de su propia conversión aun mientras trabajaba incansablemente como pastor. Cierto día se embarcó en una nave para cruzar el Atlántico junto con un numeroso grupo de cristianos moravos. En ruta enfrentaron una terrible tormenta. Todos estaban sobre cubierta mientras el navío se bamboleaba violentamente sobre las oscuras olas del mar. Entraba el agua rápidamente y las velas se rompían; sin embargo, estas familias moravas permanecían serenamente sobre cubierta, cantando himnos.

Wesley, que se aferraba aterrorizado al costado del barco, preguntó:

—¿No tienen miedo?

Uno de los hombres replicó:

—No, yo no tengo miedo.

—Bueno —preguntó perplejo Wesley—, ¿no tienen temor las mujeres y los niños?

—No, no tenemos miedo de morir. Nuestras vidas están en las manos de Dios —dijo el hombre.

En ese momento, Wesley sintió la convicción de que realmente él no tenía fe en Dios. No mucho después de eso, el Príncipe de Paz convirtió su corazón. Más tarde Wesley escribió: "El que teme a Dios, no teme ninguna otra cosa. Si usted no teme a Dios, teme todo lo demás".

La Escritura dice: "En el amor no hay temor, sino que el perfecto amor echa fuera el temor; porque el temor lleva en sí castigo. De donde el que teme, no ha sido perfeccionado en el amor" (1 Juan 4:18). Los cristianos que tienen una fe genuina confían en Dios a pesar de las circunstancias externas. Saben que no tienen nada de qué temer, porque él está en el trono.

El *Titanic* fue construido en Belfast, y la gente de esa ciudad se enorgullecía grandemente del poderoso navío que fue proclamado por todas partes como "el barco insumergible". Cuando se hundió, 16 miembros de una iglesia protestante en Belfast, todos hábiles mecánicos, se hundieron con él. El alcalde dijo que la ciudad nunca había sufrido una tristeza tal como la que sobrevino debido a la terrible tragedia. Ciertamente, tan profundo era el dolor que se dijo que aun los hombres más estoicos, al encontrarse en las calles, se tomaban de las manos, estallaban en lágrimas y se separaban sin decir una palabra.

Al siguiente domingo después de la tragedia, un popular ministro norteamericano que estaba de visita en Belfast predicó en la iglesia a la que habían pertenecido los 16 mecánicos. El edificio estaba colmado de gente; no solo los miembros de iglesia, sino también lores, obispos y ministros de todas las denominaciones. Los sollozos de muchas viudas y huérfanos que acababan de perder a sus amados llenaban la sala que de otro modo estaría silenciosa.

El gran predicador escogió como su tema "el barco insumergible". Sin embargo, no predicó acerca del gigante de once pisos que chocó contra el témpano de hielo. No, su mensaje fue acerca de ese otro "barco insumergible": el frágil bote pesquero sobre el Mar de Galilea, insumergible porque el Maestro estaba durmiendo sobre una almohada en la popa de la embarcación. Dijo: "Gracias a Dios, él [Jesús] todavía vive y domina las olas y controla las tormentas, y cuando los hijos de los hombres toman nuevamente a bordo a su único Piloto verdadero, no tienen nada que temer. Capearemos las tormentas actuales, y él llevará el barco a través del mar hasta el puerto favorable de nuestras esperanzas".

Dios no nos ha prometido librarnos de las tormentas, sino en cambio conducirnos a través de ellas. Aunque el Señor les mandó a los discípulos que cruzasen el mar, no les garantizó una travesía serena. Podría ser que Jesús no impidiese que una tormenta azote a un barco, pero él no permitirá que se hunda. Si Jesús está en la embarcación, no tenemos nada que temer. Llegaremos a nuestro destino.

"Los sacó de las tinieblas y de la sombra de muerte, y rompió sus prisiones"—Salmo 107:14.

De la prisión al palacio

En uno de los cambios de fortuna más extraños de la historia, Nelson Mandela, de Sudáfrica, que había estado encarcelado por más de veinte años por el ex gobierno de aquel país, que imponía el *apartheid*, llegó a ser su presidente en 1994 como también el ganador del Premio Nobel de la Paz de 1993. Similarmente, la historia bíblica está salpicada de ejemplos asombrosos de aquellos que pasaron de la prisión al palacio. El siguiente es uno de los más hermosos.

"Aconteció a los treinta y siete años del cautiverio de Joaquín rey de Judá… que Evil-merodac rey de Babilonia, en el primer año de su reinado, libertó a Joaquín rey de Judá, sacándolo de la cárcel; y le habló con benevolencia, y puso su trono más alto que los tronos de los reyes que estaban con él en Babilonia. Y le cambió los vestidos de prisionero, y comió siempre delante de él todos los días de su vida" (2 Reyes 25:27-29).

¡Qué espléndido símbolo de la salvación! El rey de Babilonia le muestra misericordia a Joaquín, que había estado languideciendo en un calabozo por treinta y siete años. No solo lo libra de sus cadenas sino que también le habla bondadosamente y le da mantos reales nuevos a cambio de sus harapos de prisión. Incluso le otorga un asiento magnífico en su propia mesa en el palacio de Babilonia y lo alimenta con comida real de la cocina del palacio. Y además, hace esto por el resto de la vida, un símbolo obvio de la eternidad venidera.

La historia de Joaquín es también la historia de la liberación del endemoniado y la historia de nuestra salvación. Después que acudimos a Jesús tal como somos, él no solo rompe nuestras cadenas y nos saca de nuestra oscura prisión sino que también nos da nuevas vestiduras reales. ¡Cambia nuestra posición de prisioneros en el pabellón de la muerte a hijos del Rey! "Mirad cuál amor nos ha dado el Padre, para que seamos llamados hijos de Dios" (1 Juan 3:1).

En un día, el rango de José fue cambiado de esclavo prisionero al de primer ministro de Egipto. En un día, el estatus de Moisés fue cambiado de un bebé esclavo impotente y condenado al de hijo del Faraón.[6] De la misma manera, la posición de Daniel fue cambiada de cautivo de Judea a la de principal consejero de Babilonia.

¡Dios también tiene para su vida un plan propio de la realeza! Esto es lo que él desea hacer para usted: ¡Quiere liberarlo de sus cadenas, darle un nombre nuevo, hacerlo su hijo, cubrirlo con su manto de justicia real, y alimentarlo para siempre con el pan viviente y el fruto del árbol de la vida (ver Apocalipsis 2:7)! "Al que nos amó, y nos lavó de nuestros pecados con su sangre, y nos hizo reyes y sacerdotes para Dios, su Padre; a él sea la gloria e imperio por los siglos de los siglos" (Apocalipsis 1:5, 6).

"Al que venciere, yo lo haré columna en el templo de mi Dios…
y escribiré sobre él… mi nombre nuevo"—Apocalipsis 3:12.

---

6   En realidad, la historia de todo el Éxodo es una historia de cómo Dios rompe las cadenas de toda una nación y los transforma de esclavos en miembros de la realeza: "Y vosotros me seréis un reino de sacerdotes, y gente santa" (Éxodo 19:6).

Una crisis de identidad

El crimen de robo de identidad está en aumento en los Estados Unidos. En este crimen, alguien obtiene y usa ilegalmente los datos personales de otro individuo con propósitos de fraude o engaño, típicamente para conseguir una ganancia económica. A diferencia de sus huellas digitales, sus datos personales —especialmente su número de Seguro Social, el número de la cuenta de banco o de una tarjeta de crédito, y el número de identificación personal (PIN) de su tarjeta para hacer llamadas telefónicas— pueden sufrir un abuso terrible si caen en manos equivocadas, lucrando otros a sus expensas. Cada día, centenares de personas por todo el país informan de fondos que han sido robados de sus cuentas de banco. En los casos peores, los criminales se apoderan completamente de la identidad de sus víctimas, acumulan vastas deudas y cometen crímenes, dejando a las víctimas con su crédito destruido y un registro criminal que requiere años para corregir.

En 1970, en una forma enteramente diferente de falsificación de la identidad, el gobierno federal estableció el Programa Federal de Protección de los Testigos. Este programa provee una nueva identidad a individuos que testifican en tribunales o sirven como testigos en situaciones donde el hecho de hacerlo podría poner en riesgo sus vidas; por ejemplo, en casos contra sindicatos de crímenes organizados. En intercambio por este valioso testimonio, el gobierno da a cada testigo una identidad completamente nueva, proveyendo un nombre nuevo, documentos legales, ocupación y casa. El gobierno hasta creará historias nuevas, ¡completas con diplomas de la escuela secundaria y del colegio! En algunos casos, si un testigo tiene un registro criminal, ¡se lo dejan perfectamente limpio!

Dios promete a sus redimidos: "Te será puesto un nombre nuevo, que la boca del Señor designará" (Isaías 62:2, NRV 2000). Dios les da a sus hijos una nueva identidad en Cristo. "Al que venciere, daré a comer del maná escondido, y le daré una piedrecita blanca, y en la piedrecita escrito un nombre nuevo, el cual ninguno conoce sino aquel que lo recibe" (Apocalipsis 2:17).

No hay razón para que usted se confunda sobre quién es usted. Su nueva identidad es grandiosa, con un propósito real y un hogar real.

"Vosotros sois linaje escogido, real sacerdocio, nación santa, pueblo adquirido por Dios, para que anunciéis las virtudes de aquel que os llamó de las tinieblas a su luz admirable" (1 Pedro 2:9).

Un naturalista que visitaba cierto día una granja se sorprendió al ver una hermosa águila en el gallinero del granjero. Confundido, preguntó:

—¿Por qué bendita razón esa águila está viviendo con las gallinas?

—Bien —contestó el granjero—, cierto día encontré un huevo de águila abandonado y lo coloqué en el gallinero, y una gallina lo adoptó y crió a la criatura después que salió del cascarón. No conoce nada mejor; piensa que es una gallina.

El águila estaba aún picoteando el grano y pavoneándose torpemente en círculos.

—¿Nunca trata de volar para salir de ese lugar? —preguntó el naturalista, notando que el pájaro en ningún momento levantó la vista.

—No —dijo el granjero—, dudo que siquiera sabe qué significa volar.

El naturalista pidió la oportunidad de llevar el águila por unos pocos días para hacer experimentos, y el granjero accedió. El hombre de ciencia colocó al águila sobre una cerca y la empujó hacia fuera, gritando:

—¡Vuela!

Pero el pájaro simplemente cayó al suelo y empezó a picotear. Luego lo subió a la parte superior de un henal e hizo la misma cosa, pero el ave asustado simplemente chilló y aleteó en forma desgarbada hasta el corral, donde reanudó su pavoneo.

Finalmente, el naturalista llevó a la dócil ave lejos del ambiente en el cual estaba acostumbrada a vivir, manejando hasta el monte más alto del condado. Después de un ascenso largo y sudoroso hasta la cumbre del cerro con el ave apretada bajo su brazo, escudriñó por encima del despeñadero y luego habló suavemente:

—Tú naciste para remontarte a las alturas. Es mejor que mueras aquí hoy en las rocas que están debajo a que vivas el resto de tu vida siendo una gallina. Eso no es lo que tú eres.

Entonces, con su vista aguda, el ave confundida divisó otra águila elevándose en las alturas por encima del risco, y en su interior se encendió un intenso deseo. El naturalista lanzó al majestuoso animal hacia arriba y por encima del precipicio, gritando: "¡Vuela! ¡Vuela! ¡Vuela!"

El águila comenzó a caer pesadamente hacia las rocas que estaban debajo, pero entonces abrió sus alas de casi dos metros y medio de extensión y, con un grito poderoso, comenzó a batirlas instintivamente. Pronto estaba planeando con gracia, ascendiendo en espirales cada vez más altos, sobre columnas invisibles de aire caliente en el cielo azul. Eventualmente, el águila poderosa desapareció en la luz deslumbrante del sol matinal. El ave se había convertido en aquello para lo cual había nacido.

"Jesús se acercó y les habló diciendo: Toda potestad me es dada en el cielo y en la tierra. Por tanto, id, y haced discípulos a todas las naciones"—S. Mateo 28:18, 19.

Ve y diles

Cuando Robert Moffat, misionero escocés al África, regresó para reclutar ayudantes en su tierra natal, fue recibido por la furia de un invierno británico muy frío. Al llegar a la iglesia donde tenía que hablar, notó que solo un grupo pequeño había hecho frente a los elementos de la naturaleza para oír su apelación.

Aunque nadie respondió al llamado de Moffat para conseguir voluntarios para el servicio misionero en África, el desafío conmovió a un jovencito que había venido para hacer andar los fuelles del órgano. Decidido a seguir en los pasos de este misionero de avanzada, el joven fue a la escuela, obtuvo un título en medicina, se casó con la hija de Moffat, Mary, y pasó el resto de su vida ministrando a las tribus de África no alcanzadas con el evangelio. Su nombre: ¡David Livingstone! Dios obra en formas misteriosas para llevar a cabo sus sabios propósitos.

Usualmente, cuando Jesús hacía un viaje para sanar a alguien, era a pedido de un pariente o un amigo. Pero en esta historia única del endemoniado, Jesús cruzó el mar como si hubiera estado comisionado solo por su Padre celestial. Hizo el peligroso viaje para transformar a un loco, a quien lo limpió, lo vistió y luego lo comisionó. Fue una liberación total, una transformación enorme; el hombre tuvo un propósito totalmente nuevo en su vida.

Sospecho que muy pocas iglesias considerarían la idea de patrocinar a un misionero para cruzar un mar tormentoso a fin de alcanzar solo a una persona. De acuerdo con las normas de la mayoría de las iglesias, la gente habría considerado este esfuerzo misionero de Jesús como un triste fracaso. Casi puedo oír la indignación de la junta misionera al examinar el viaje de Jesús. "¿Qué? ¿Hizo ese viaje peligroso, arriesgando las vidas de sus asociados, solo para que pudiera predicarle a un hombre trastornado y desnudo? ¿Y luego partió después de solo unas pocas horas?"

El viaje de Jesús destaca el valor increíble que Dios le da a una sola alma humana; una a quien la mayoría de las personas, si son honestas consigo mismas, habrían considerado sin valor. Sin embargo, Jesús cruzó la vasta expansión del universo para alcanzarlo precisamente a usted. Sí. Si usted fuera el único que sería salvado, ¡él habría hecho el viaje desde el cielo y muerto en la cruz solamente por usted! "¿Qué os parece? Si un hombre tiene cien ovejas, y se descarría una de ellas, ¿no deja las noventa y nueve y va por los montes a buscar la que se había descarriado?" (S. Mateo 18:12).

Sabemos que el énfasis particular del testimonio de este hombre fue en la región de Decápolis. "Y se fue, y comenzó a publicar en Decápolis cuán grandes cosas había hecho Jesús con él; y todos se maravillaban" (S. Marcos 5:20).

Como he mencionado antes, Decápolis era una federación de diez ciudades (*deka* significa "diez"; *polis* significa "ciudad") que yacían al este de Galilea y el río Jordán. Si usted hubiese entrevistado a todos los residentes de Decápolis y les hubiese pedido que votasen por el candidato con menos posibilidades para llegar a convertirse, ¡este hombre anónimo habría ganado el voto unánimemente! Sin embargo Jesús cruzó un mar tormentoso para salvar a este hombre, y luego hizo de él su primer misionero.

¡Así es! Jesús envió a este hombre a predicar aun antes de que enviara a los discípulos en su primera gira misionera. El endemoniado convertido llegó a ser el primer misionero de Jesús. Hay poca duda de que su testimonio más elocuente fue acerca de la transformación radical que Jesús hizo en su vida, proclamando las grandes cosas que el Señor había hecho por él.

En realidad, Jesús le da este bendito ministerio de testificar a cada pecador salvado. Vamos a Jesús; luego salimos para él. El Señor nos invita a ir a él en el contexto de la gran invitación: "Venid a mí todos los que estáis trabajados y cargados, y yo os haré descansar" (S. Mateo 11:28). Luego nos ordena que vayamos para él bajo el mandato de la gran comisión: "Por tanto, id, y haced discípulos a todas las naciones" (S. Mateo 28:19).

El Señor nos ha enviado a "publicar libertad a los cautivos, y a los presos apertura de la cárcel" (Isaías 61:1). En realidad, decirles a otros nuestro testimonio de lo que Jesús ha hecho por nosotros es parte de nuestra rehabilitación del cautiverio. "Y ellos le han vencido [a Satanás] por medio de la sangre del Cordero y de la palabra del testimonio de ellos" (Apocalipsis 12:11).

Este hombre estaba tan agradecido por su salvación de la posesión demoníaca y por su nueva vida que quería decírselo a todos. Aquel a quien se le perdona mucho, ama mucho. Siete demonios fueron echados de María Magdalena y ella luego llegó a ser uno de los discípulos más devotos de Jesús.

De cierto, cuando el endemoniado partió en su primera misión, todavía estaba lleno de un espíritu, pero ahora de un Espíritu radicalmente bueno, que estaba allí como un huésped invitado y no como un invasor.

"Y el hombre de quien habían salido los demonios le rogaba que le dejase estar con él; pero Jesús le despidió, diciendo: Vuélvete a tu casa, y cuenta cuán grandes cosas ha hecho Dios contigo.

*Y él se fue, publicando por toda la ciudad cuán grandes
cosas había hecho Jesús con él"—S. Lucas 8:38, 39.*

Yendo al hogar

Un joven destinado al campo misionero se encontró sentado en un avión junto a Billy Graham. Ansiosamente le dijo al famoso evangelista que estaba yendo a una remota estación misionera, donde confiaba conducir a muchos paganos al Señor.

Graham dijo que éstas eran noticias maravillosas. Luego le preguntó al joven misionero cuántas almas había traído a Jesús en su familia o vecindario. Un poco abatido y confundido, el joven respondió que no había llevado a nadie al Señor todavía, y luego comenzó a ofrecer una serie de excusas artificiales de por qué era tan difícil producir conversos en su pueblo natal.

Después de una pausa piadosa, Graham le aconsejó solemnemente al joven que regresara al hogar, diciendo: "Si usted no ha tenido éxito en alcanzar con el evangelio a nadie en su familia o vecindario, es probable que tampoco experimentará éxito en una tierra extranjera".

Cuando Jesús comenzó a subir al bote para dejar Decápolis, el hombre que acababa de ser restaurado le rogó que lo dejara acompañarlo. ¡Qué transformación! Aquel que tanto temía su llegada ahora temía su partida. Es probable que incluso deseara llegar a ser uno de los discípulos del Señor.

Pero la comisión que Jesús le dio al endemoniado fue considerablemente diferente de sus instrucciones a otros a quienes había sanado. Usualmente, les decía que guardasen silencio sobre lo que él había hecho por ellos (ver S. Mateo 8:4; S. Lucas 8:56).[7] El ex endemoniado no debía tampoco sentarse indefinidamente a los pies de Jesús,

---

7   Había tensiones políticas volátiles entre la gente de Galilea y Judea y sus gobernantes romanos. Si los milagros de Jesús eran divulgados demasiado extensamente, habrían atizado las esperanzas mesiánicas de la gente, transformándolas en llamas de una revolución. No había un peligro tal en Decápolis; por lo tanto, la misericordia del Señor debía ser libremente proclamada.

sino que debía ir y contar a otros acerca de Jesús, comenzando con aquellos de su propio hogar.[8]

Tantos se sientan en la iglesia semana tras semana y nunca comparten su fe. Como resultado, su experiencia cristiana se atrofia. El ambiente del "hogar" representa el mejor terreno de entrenamiento, pero también el más desafiante, para misioneros que están en desarrollo. La primera persona que el discípulo Andrés condujo a Jesús después que encontró al Maestro fue su propio hermano, Pedro (S. Juan 1:40, 41). Cuando la mujer samaritana junto al pozo supo que Jesús era el Mesías, inmediatamente fue a compartir el Agua Viviente con sus vecinos (S. Juan 4:28, 29). Jesús incluso les pidió a sus discípulos que empezasen a testificar a aquellos que estaban más cerca y que luego expandiesen ese círculo, para llegar por último a los rincones más distantes de la tierra. "Me seréis testigos en Jerusalén, en toda Judea, en Samaria, y hasta lo último de la tierra" (Hechos 1:8).

También es importante notar que Jesús no le ordenó al ex endemoniado que fuese a su hogar y llegase a ser un gran orador, sino simplemente que diese testimonio de lo que Jesús había hecho en su vida. Ser un testigo es tan simple como eso. ¡Siempre será cierto que no hay un sermón más poderoso que una vida que Jesús ha transformado! "Él se fue, publicando por toda la ciudad cuán grandes cosas había hecho Jesús con él. Cuando volvió Jesús, le recibió la multitud con gozo; porque todos le esperaban" (S. Lucas 8:39, 40).[9]

Tal vez usted tiene algunos miembros de su familia o amigos queridos que se han apartado grandemente de Dios. Tal vez fueron apre-

---

8   Note que Jesús primero les dijo a los demonios que se fuesen y luego le dijo al hombre que fuese. Jesús envió a los demonios a los cerdos, y envió al hombre a los perdidos. Es también simbólico que los cuidadores de los cerdos se fueron para compartir las malas noticias. Después del encuentro del endemoniado con Jesús, fue a la misma área para compartir las buenas nuevas.

9   El Evangelio de San Lucas implica que Jesús regresó a este distrito y que a causa del ministerio poderoso de este hombre, toda la región esperaba con gozo a Jesús cuando él regresó. Ése es nuestro trabajo también. Jesús regresará muy pronto a la tierra, y nosotros tenemos que hacer todo lo que podamos mediante nuestras palabras y nuestro ejemplo a fin de preparar a otros para encontrarlo en paz.

sados en una espiral descendente de autodestrucción. Usted incluso podría preguntarse si sus muchas oraciones en favor de ellos no son una pérdida de tiempo. ¡Las buenas nuevas son de que si Jesús pudo alcanzar a este hombre, puede alcanzar a cualquiera! Ninguna otra condición fuera de la muerte misma podría jamás haber parecido más desesperanzada, ninguna esclavitud más completa. Este hombre estaba tan lejos de Dios como podríamos alguna vez imaginarnos. En otras palabras, siempre hay esperanza, de modo que no se dé por vencido respecto a aquellos a quienes usted ama.

Antes de que dejemos esta historia, por favor observe una vez más este asombroso contraste:

El hombre poseído por los demonios se mueve entre cadáveres en descomposición bajo la sombra de los cerros circunvecinos, bufando como los cerdos pestilentes. Su carne desgarrada y despellejada arrastra restos de cadenas y grillos despedazados. Gritando y gimiendo, con su boca gruñiente y espumajeando saliva, vaga sin rumbo entre las siluetas de las cavernas y las tumbas, mientras que su cuerpo hediondo y desnudo es seguido por una nube de moscas. Continuamente les da golpes penetrantes a sus miembros cubiertos de cicatrices con rocas duras como pedernal, y sus ojos salvajes fulguran amenazadoramente por debajo de su cabello sucio y enmarañado.

Isaías 1:5, 6 describe esto tan bien: "¿Todavía os rebelaréis? Toda cabeza está enferma, y todo corazón doliente. Desde la planta del pie hasta la cabeza no hay en él cosa sana, sino herida, hinchazón y podrida llaga; no están curadas, ni vendadas, ni suavizadas con aceite". Antes del encuentro con Jesús, el endemoniado era el cuadro último de quien está PERDIDO, ¡todo con letras mayúsculas! Estaba sucio, era insociable, incontrolable y estaba atormentado.

Y ahora el contraste: Después que fue a Jesús, estaba tranquilo, civilizado, vestido, sonriente, y se hallaba en su juicio cabal.

¡Qué diferencia hizo Jesús en su vida! Fue la diferencia entre la luz y las tinieblas, entre estar perdido y ser hallado, entre la vida y la muerte. ¡Jesús puede y hará esa misma diferencia en su vida también!

Como alguien dijo una vez: "Cuando me miro a mí mismo, me pregunto cómo puedo ser salvo. Cuando miro a Jesús, me pregunto cómo puedo perderme". Cualesquiera sean sus cadenas, Jesús puede romperlas y darle libertad. "Si alguno está en Cristo, nueva criatura es; las cosas viejas pasaron; he aquí todas son hechas nuevas" (2 Corintios 5:17).

Si usted todavía no le ha pedido a Jesús que lo salve, pídale que lo haga ahora. Luego vaya y diga cuán grandes cosas él ha hecho por usted.

No permitan ustedes que el pecado reine en su cuerpo mortal, ni obedezcan a sus malos deseos. No ofrezcan los miembros de su cuerpo al pecado como instrumentos de injusticia; al contrario, ofrézcanse más bien a Dios como quienes han vuelto de la muerte a la vida, presentando los miembros de su cuerpo como instrumentos de justicia. Así el pecado no tendrá dominio sobre ustedes, porque ya no están bajo la ley sino bajo la gracia.

Entonces, ¿qué? ¿Vamos a pecar porque no estamos ya bajo la ley sino bajo la gracia? ¡De ninguna manera! ¿Acaso no saben ustedes que, cuando se entregan a alguien para obedecerlo, son esclavos de aquel a quien obedecen? Claro que lo son, ya sea del pecado que lleva a la muerte, o de la obediencia que lleva a la justicia. Pero gracias a Dios, que, aunque antes eran esclavos del pecado, ya se han sometido de corazón a la enseñanza que les fue transmitida. En efecto, habiendo sido liberados del pecado, ahora son ustedes esclavos de la justicia (Romanos 6:12-18, NVI).

¡Estudios Bíblicos Increíble
QUE PODRÍA CAMBIAR SU VIDA!

Obtenga gratuitamente estudios de Biblia en español están disponible en *Bibleuniverse.com*. Haga clic en Enroll in Bible School. Nuestras guías de estudio de Biblia son fáciles de leer y pertinente para el mundo actual.

Entre en el sistema hoy y descubre:

- Lo que sucede después de que la muerte
- La manera de mejorar la salud
- Cómo guardar su casamiento
- La verdad acerca del fuego del infierno

Y muchos otros hechos asombrosos!

Otros recursos que cambian la vida

De Cavernícola a Cristiano

La verdadera y extraordinaria historia del Pastor Doug Batchelor, hijo de un padre millonario y una madre envuelta en el mundo del espectáculo. Descubra como este pastor en su adolescencia como joven rebelde vivió en una cueva y al conocer la palabra de Dios su vida tomó un rumbo distinto.

Verdades Escondidas

Esta increíble revista a todo color le presenta los siete temas bíblicos más incomprendidos en una manera directa y cautivadora. Completamente ilustrada y llena de la palabra de Dios.

Descuentos por cantidad disponibles.

Para pedir estos libros
llame al número gratuito
1-800-538-7275
o visitando la página electrónica
AFbookstore.com